文学交流入門

青山学院大学文学部日本文学科　編

武蔵野書院

文学交流入門　目次

【付記】

・海外の人名の日本語表記は、各執筆者の判断のままとした。
・引用文中には今日から見て差別的な表現も含まれるが、歴史的資料性を考え原文通りとした。
・引用に際して、歴史的仮名遣いは原文のままとし（ただし、踊り字は本来の文字とした）、漢字については、旧字体を新字体に、異体字は正字体または常用漢字体に改め、読み仮名は現代仮名遣いとした。

はしがき――この本を読む人のために

〈文学交流〉とは

「文学交流」ということばは、聞きなれないかもしれません。最近になって、文学研究の本や論文のタイトルとして、しばしば見かけるようになりました。「文化交流」、「学術交流」、「芸術交流」ということばは、すでに広く定着しています。そうであれば、文学による交流を「文学交流」と呼ぶこともできるように思います。

「文学交流」ということばは、日本では遅くとも1930年代から使われています。文芸誌『文学交流』を出版した文学交流社があり、また、ヨーロッパ文学史の概説で、ナポレオンによって外国に逐われた文学者たちの作品がフランスに逆輸入された時代が「文学交流の時代」と名付けられています（矢野禾積『文学史概説　近世』岩波講座世界文学、岩波書店、1934）。戦後では、「文学交流」をタイトルに持つ規模の大きな本としては木村毅『日米文学交流史の研究』（講談社、1960、恒文社、1962）と、富田仁、長谷川勉編著『欧米文学交流の諸様相』（三修社、1983）があります。前者は、近代における日米の文学・文化が、双方の文学・文化に与えた影響を掘り起こした単著で、後者は欧米諸国の文学間の影響関係を考察した論文集です。

このように、「文学交流」ということばは、一方向の影響ではなく、異なる文学相互の影響を示す場合に使われてきました。この「文学交流」の研究は、比較文学研究の1部門として扱われています。しかし、この本では、「文学交流」を「異文化に立脚した文学相互の〈双方向〉的交流」と定義し、比較文学研究の1部門としてではなく、それ自体を一つの研究分野として、幅広い時間・空間の中で、さまざまな角度から、かつ体系的に考察します。このような意味での「文学交流」を、この本では〈文学交流〉と表記します。そして、〈文学交流〉の研究は、文学を通じて、異文化間の〈相互理解〉（“相互誤解”も含めて）が、過去から現在まで、また広い地域間でどのように行われてきたかを解明し、未来の〈相互理解〉に貢献することをめざします。

今なぜ〈文学交流〉か――この本のめざすもの

日本文学を中心に、〈文学交流〉を紹介しようとしたことには、次の二つの理由があります。

第1に、今日、日本文学がかつてないほどに、世界のさまざまな場所で読まれ、翻訳され、研究され、その地の文学に影響を与えているからです。たとえば、俳句は、西欧とアメリカ合衆国だけでなく、スロベニアやセルビアなどのバルカン半島の国々や、ポーランド、トルコ、南米などでも読まれ、それぞれの言語で「俳句」の制作も行われています。また、ポーランドでは、未来にタイムスリップした戦国時代の武士を描いたSF小説シリーズ『たけし』が人気を博しているといいます。さらに、さまざまな地域の日本文学研究の成果も、ブラジルの詩人による日本の表意文字についての論考など、見逃すことができないものとなっています。

こうした動きを、単なる「ジャポニズム」（日本趣味）と見るだけでは不十分です。むしろ、世界のさまざまな人々が、日本文学を人間文化の果実の一つと捉え、新たな文学・文化の可能性を見出そうとしていると考えられます。今や日本文学は、日本国内だけに閉じられたドメスティックな文学ではなくなっているのです。それゆえ、日本文学における海外文学の受容だけでなく、日本文学が海外の文学・文化・社会に与えた影響を考え、日本文学と海外文学が出合うことで誕生したハイブリッドの文学や、日本文学と海外文学とが、それぞれ独自のバックボーンを踏まえながら提起している人間の普遍的テーマなど、〈文学交流〉を見極めることが必要となっています。

第2に、“文学研究に社会的効用があるのか”という疑問に対して、「ある」という答えを示したいからです。21世紀に入って、世界の国々はかつてないほどに経済的繋がりを強めていますが、その一方で、経済的には自国優先主義、政治的にはナショナリズムが高まりを見せています。また、それぞれの国内において中間層が失われ、貧富の差が著しく拡大しています。国内外で急速に進む分断は、発達したSNSによってより深刻になっています。匿名性が高く、不満のはけ口となりやすいSNSは、憎しみの連鎖を生み出すからです。そして、2019年末に発生し、世界的規模で感染が広がった新型コロナウイルス感染症COVID-19と、2022年2月に始まり、世界的なエネルギー価格の高騰をもたらしている、ロシア連邦によるウクライナ侵攻は、世界の経済的繋がりの強さを改めて示すとともに、社会の分断に一層拍車をかけています。

このような時代状況の中で、私たちが決して手放してはならないものが、理性的な〈相互理解〉です。そして、その〈相互理解〉のための、最も深い次元の通路が文学です。インドの経済学者アマルティア・セン Amartya Senは、子どもたちがアイデンティティを構成する要素として、言語、民族性、文化史、科学的関心とともに文学を挙げました（『人間の安全保障』東郷えりか訳、集英社新書、集英社、2006）。文学を通じて、異なる言語・文化を持つ人々のベースにある考え方や感じ方、またその人々が抱え持つ社会的課題を理解することができるのです。

まずは心惹かれたところから――この本の構成

この本は七つのパートによって構成されています。「Ⅰ〈文学交流〉とは何か」では、この本における〈文学交流〉を理論的に説明します。「Ⅱ〈文学交流〉の歴史」では〈文学交流〉の歴史を、日本側に重点を置いて記述します。概説ではなく、トピックを絞って、〈文学交流〉の実際を紹介します（対外交流史の全体像については、村井章介（むらいしょうすけ）、荒野泰典（あらのやすのり）編『対外交流史』〈新 体系日本史、山川出版社、2021〉が便利です）。「Ⅲ　翻訳という〈文学交流〉」では、翻訳の理論を解説し、日本文学の翻訳の問題を〈双方向〉的に考察します。「Ⅳ〈文学交流〉に生きた近代の文学者たち」では、日本文学を受容した海外の文学者たちを紹介します。彼らが近代社会に対して鋭い批判の目を持っていたことに注目してください。「Ⅴ〈文学交流〉の広がり」では、神話や物語・説話の交流を展望します。地域を超えた話型の共有から、記録に残らない人々の生き生きとした交流を思い描き、また人間の感性と思考の普遍性について思いを巡らしてほしいと思います。「Ⅵ　日本と諸地域の〈文学交流〉」では、トピックを絞って、世界の諸地域における日本文学の受容を紹介します。世界の多くの人々が日本文学に関心を寄せてきたことに驚くでしょう。なお、これらの地域は、青山学院大学文学部日本文学科と学術協定を結んでいる大学、または将来結ぶ可能性のある大学の所在する地域を中心に選びました。現在、日本文学科は多様な地域の大学との学術協定を積極的に進めています。「Ⅶ〈文学交流〉を学ぶために」では、中国語、英語によって日本文学を研究するための基礎知識と方法を示しています。

この本は体系的なものとなっていますが、それぞれの項目が独立しており、心惹（ひ）かれたところから読み始められるようになっています。また、この本では日本文学に関わる〈文学交流〉を紹介しましたが、〈相互理解〉を深めるために、日本文学と関わった海外の人々を育んだ文学にもぜひ触れてほしいと思っています。

（小松靖彦）

I　〈文学交流〉とは何か

〈文学交流〉という視点

日本文学かアメリカ文学か

〈文学交流〉とは、どのような視点なのでしょうか。まず具体例を挙げてみたいと思います。日本最古の歌集『万葉集』に、「生死の二つの海を厭はしみ潮干の山をしぬびつるかも（生と死の二つの海が厭わしいので、潮の干満から離れた山に心が引かれたことだ）」（巻16・3849 作者未詳。訓は『新訓萬葉集』）という歌があります。生と死を潮の満ち干にたとえ、それが及ぶことのない山である浄土に行くことを願っています。この歌をアメリカの現代詩人ケネス・レクスロス Kenneth Rexroth（1905-82）が英訳しています（*One Hundred More Poems from the Japanese*. 1976）。

I loath the twin seas	（存在と非存在の）
Of being and not being	（対をなす海を私は嫌う）
And long for the mountain	（そして、満ち干する潮が触れることのない）
Of bliss untouched by	（至福の山を）
The changing tides.	（恋い慕う。）

この英訳は直訳になっていません。「生死の二つの海」の直訳は、both seas of Life and Death です。しかし、レクスロスは、twin の語を使い、生と死が表裏一体であることを強調しました。また、being and not being というコントラストの鮮明な訳によって、〈存在〉の不確かさ・はかなさを浮かび上がらせています。原歌は仏教思想に基づいて人間に〈死〉があることを嘆くものでしたが、この訳はそれ以上の哲学的深みを持っています。

レクスロスはこの訳を彼自身の長詩「心の庭／庭の心」（“The Heart's Garden, the Garden Heart” 1967年刊の同名の詩集に収録）の第3章にそのまま取り込みました。山に分け入った詩人は、かつて山が浅い海であった遠い記憶を呼び起こし、滝の飛沫に海の真珠を幻視します。〈存在〉する山に、〈非存在〉の海を見た詩人は、『万葉集』のこの英訳を引いて、〈存在〉・〈非存在〉を超越した〈不変のもの〉への憧れを述べます。独自に訳された『万葉集』の歌が、一見確かな〈存在〉の中に〈非存在〉を見る、というこの第3章の重要なモチーフとなっているのです。

レクスロスの『万葉集』の英訳と彼の詩とは地続きです。このような英訳は、「日本文学」と見るべきでしょうか、それとも「アメリカ文学」として理解すべきでしょうか。〈文学交流〉の視点では、その両方であると考えます。レクスロスの英訳はあくまでも「日本文学」の翻訳ですが、同時に、レクスロス独自の解釈を潜り抜けた「アメリカ文学」でもあると捉えるのです。

中間領域を〈双方向〉から捉える

〈文学交流〉の視点は、異なる言語の中間領域の作品に積極的に光を当て、しかも、その作品を〈双方向〉から捉えることをめざします。レクスロスの『万葉集』の英訳で言えば、一方では、『万葉集』の原歌と比較しながら、その翻訳の特徴や『万葉集』の翻訳史の中での位置を明らかにします。その際、原歌との違いを“誤読”や“誤訳”とは断定しません。なぜそのような翻訳が行われたのかを、レクスロスの作品全体やアメリカ文学史の中で考察します。

そもそも、レクスロスの『万葉集』の翻訳は、日本語のわかる研究者を読者とはしていませんでした。レクスロスは、太平洋戦争下に日本詩歌の翻訳に本格的に着手しました。日米戦争を文明の破壊と見て危機感を募らせた詩人は、日本詩歌をアメリカ人が共感できる〈作品〉

に仕上げることによって、戦争への抵抗を試みたのです。そして、画一的商業文化が浸透する1950年代のアメリカで、自由を求める若者たちが、シンプルでしかも哲学的なレクスロスの日本詩歌の翻訳に深い共感を寄せました。

アメリカの歴史と文学の中で考えると、レクスロス独自の『万葉集』の解釈が“誤読”や“誤訳”と言って済ますことのできない、創造的意味を持っていたことが明らかになります。イギリスの英文学者マシュー・レイノルズ Matthew Reynolds は、翻訳を、異なる言語が混ぜ合わされる「中立地帯」と捉えています（『翻訳』）。〈文学交流〉の視点は、「ソーステキスト source text」（レイノルズによれば、それは唯一正しい「オリジナル」という意味ではありません）が、「中立地帯」で新たな意味をひらく瞬間に立ち会うものと言えます。ただし、「中立地帯」と言ってもそれは、より大きく翻訳する側に関わっています。レイノルズは、中国語の文章を日本語として解読する「漢文訓読」を「中立地帯」の典型的な例としていますが、「漢文訓読」はあくまでも日本側の読解法であり、中国側の与り知らぬことなのです。それゆえ、〈文学交流〉の視点では、翻訳する側の歴史的・文化的文脈の解明が、まず取り組むべき課題となります。

とはいえ、それだけでは一方向的な見方に陥る危険性があります。「ソーステキスト」が、元の言語の歴史的・文化的文脈の中でどのような位置を占めているのかを知る必要があります。たとえば、レクスロスが情熱的な〈愛の挫折〉の歌として翻訳した万葉歌人・大伴家持の挽歌（巻3・470）は、日本では“類型的で平凡な上に理の勝った歌”とされ、あまり評価されていません。〈文学交流〉の視点では、このような「ずれ」も考察の対象となります。さらに、翻訳という「中立地帯」でひらかれた新たな意味が、「ソーステキスト」を生み出した言語と文化の側に、どのようにフィードバックされるのか（あるいは、されないのか）も視野に入れます。

受容・翻訳、および異なる文化との出合い

文学の交流にはさまざまな形があります。〈文学交流〉の視点に立つとき、それらにおいて何が課題となるかをまとめてみます。

【①日本における外国文学の受容・翻訳 / ②外国における日本文学の受容・翻訳】

①は、これまで比較文学が研究を進めてきました。②の「受容」については、木村毅やE・マイナー Earl Miner らの先駆的業績がありますが、研究が立ち遅れています。日本文化を“海外文化を上手に取り入れる文化”と見る常識がその原因と思われます。しかし、あらゆる文化は常に相互に影響し合うものです。ただし、その相互関係は時代によって「対称的」とは限りません。日本では、前近代では中国の文化・文学が、近代では欧米の文化・文学が圧倒的な勢いで流れ込みました。文化・文学の相互関係は、政治的な力関係の影響を受けます。とはいえ、日本から中国の文化・文学、あるいは欧米の文化・文学に影響を与えることも確かにありました。10～11世紀には、日本から宋 Song に木材や美術工芸品が輸出され、また、日本と宋の僧侶の間で学問的交流も行われています。20世紀初頭には、和歌・俳句の与えたインパクトが、英米詩にイマジズム Imagism 運動（☛「エイミー・ローウェル」）を巻き起こしました。〈文学交流〉の視点は、このような②に積極的に注目します。

そして、〈文学交流〉の視点では、①・②のどちらについても、❶「ソーステキスト」のその言語・文化の中での位置、❷受容者がその「ソーステキスト」を選んだ理由、❸受容における創造性、❹受容する側の歴史的・文化的文脈、❺「ソーステキスト」を生み出した言語・文化へのフィードバックの解明が課題となります。

【③外国との交流によって生まれた日本文学／④日本との交流によって生まれた外国文学】

日本人の外国体験や外国人との交流、外国人の日本体験や日本人との交流によって生み出された文学も、〈文学交流〉の視点では重要となります。それらには、異なる文化との接触による新たな文学の誕生を見ることができるからです。フィリピンの独立運動家ホセ・リサール José Rizal との交流によって生まれた末広鉄腸（1849-96）『南洋の大波瀾』（1891）が③、占領軍兵士として日本で過ごした体験が色濃く反映したノーマン・メイラー Norman Mailer（1923-2007）『裸者と死者』*The Naked and the Dead*（1948）が④の例です。〈文学交流〉の視点では、文学者が体験した外国あるいは日本、文学者が交流した外国人あるいは日本人についての歴史的情報を可能な限り集める一方で、その文学者の文学活動全体を視野に入れ、交流によって生まれた文学の創造性や相互理解の可能性（あるいは、不可能性）を見つめてゆきます。

二分法を流動化する

〈文学交流〉の視点は、異なる言語の中間領域の作品を、どちらか一方の言語の文学と見ずに〈双方向〉的に捉えることをめざしますが、①～④については、「日本人」/「外国人」、または「日本文学」/「外国文学」という二分法が前提にあることは否定できません（最終的にそのどちらでもないと言うにしても）。この二分法を再考し流動化するために、次のような文学の交流にも注目します。

【⑤日本語を含む複数の言語による創作活動】

一人の文学者が日本語を含む複数の言語で創作することは、和歌と漢詩の両方を作った8世紀の大伴旅人、山上憶良らに遡ります。明治政府によって「日本」との「同化」が進められたアイヌや沖縄の人々の「日本語」（政府の定めた標準語）による創作活動も、この一種として見逃せません。そして、近代では、日本による植民地統治によって、日本語を母語としない文学者たちが、日本語と「朝鮮語」または「台湾語」または中国語で作品を発表しました。日本統治下朝鮮出身の詩人楊明文양명문（1913-85）、台湾出身の作家龍瑛宗 Long Yingzong（1911-99）、「満州国」の作家古丁 Guding（1914-64）らです。また、この歴史は、日本に定住した韓国人・朝鮮人による日本語の文学も生み出しました。一方、近代における欧米との交流の深まりによって、野口米次郎（1875-1947）のように英語作品を作る文学者も登場します。そして、政治的・経済的結びつきの強化や交通・通信手段の発達によって、世界の距離が著しく縮まった現代では、日本語を母語としないリービ英雄、楊逸、李琴峰らの日本語作品や、日本語を母語とする多和田葉子、山崎佳代子らの外国語作品が数多く制作されるようになっています。

そのため、今日では「日本文学」に代わって「日本語文学」という言い方が広く使われるようになっています。しかし、「日本語文学」ということばによって、文学者の創作活動に「線引き」をしてしまうことは問題です。〈文学交流〉の視点では、一人の文学者の中で、複数の言語がせめぎ合い、絡み合いながら新たな表現を生み出してゆくさまを見届けます。たとえば、戦前に萩原朔太郎の影響を受けつつ、西条八十の詩誌『蝋人形』に日本語詩を発表し、戦後は北朝鮮に帰国して朝鮮語で創作、その後、韓国で韓国語詩を旺盛に発表した楊明文の文学活動を、言語ごとに「線引き」してそれぞれ扱うのではなく、トータルに捉えるのです。

【⑥文学の場の共有】

〈文学交流〉の視点が、今日の文学の交流の形として最も注目するのは、さまざまなエスニシティ ethnicity（血縁または先祖・言語・宗教・生活習慣・文化などを共有していると意識している集団。塩川伸明『民族とネイション』（岩波新書、岩波書店、2008）による）の人々が「場」を共有して行う文学活動です。そこでは、異なる言語・文化が直に触れ合い化学反応を起こします。古くは8世紀の阿倍仲麻呂と王維 Wang Wei による中国詩の贈答があります。ただし、仲麻呂にとって中国語が「外国語」である点で、非対称の関係になっています。現代では、1970年代に、デザイナーの向井周太郎とドイツの詩人 S. J. シュミット Siegfried J. Schmidt による「コンクリート・ポエトリー concrete poetry」（具体詩。文字を図像化・映像化した詩）の共同討議が行われました。その〈共通言語〉は、デザインとしての文字です。〈文学交流〉の視点は、こうした「場」から、今後どのような〈共通言語〉が生まれるのかを、期待を込めながら見守ります。

多様性と普遍性

〈文学交流〉の視点においては、他国・他民族・他エスニシティの文学を、自国・自民族・自エスニシティの文学と比較しながら理解を深めると同時に、自国・自民族・自エスニシティの文学を、さらに別の他国・他民族・他エスニシティの文学と比較しながら理解を深めます（塩川前掲書によれば、「民族」は、国やこれに準ずる政治単位を持つべきであるとする意識を持ったエスニシティ）。文学による、異なる言語・文化間の相互理解の促進をめざすのですが、それは1対1の比較にとどまらず、複数の比較とそれに基づく相互理解を掛け合わせてゆくものです。つまり、〈双方向〉から〈多方向〉へと向かうのです。その中で、自然と人間の関係、〈戦争〉と〈平和〉、貧困、人間の尊厳と〈自由〉、宗教的寛容、近代化と伝統文化、生と死など、人間の普遍的な問題の考察を進めます。

①～⑥を内に含むものとして、北東アジアや、東南アジア・南アジア・中央アジアに共通する物語・説話の話型や詩的イメージ、さらに世界に広がる神話の話型や詩的イメージも魅力的な研究対象です。そこには、国・民族・エスニシティの多様性を踏まえた、文学の生き生きとした流伝・交流や、人間の感性と思考の普遍性を見ることができます。加えて、①～⑥のような直接的な交流はなくとも、地理的・歴史的・文化的条件に共通点があり、文学同士が親和性に富む場合も考察の対象とし、その比較を通じて、共通するテーマを追究します。たとえば、スロベニアの近代詩人スレチュコ・コソヴェル Srečko Kosovel（1904-26）の初期の印象主義的（またはイマジズム的）な詩は、日本詩歌から直接的影響を受けたものではありませんが、秋・月・風・花の香を素材に、『新古今和歌集』に通じる沈黙・余白・余情を追求しています。日本の古典詩歌とコソヴェルの作品の両方に基づいて、〈詩における自然と沈黙〉というテーマが浮かび上がってきます。これもまた、〈文学交流〉の視点なのです。

＝さらに深く学ぶために＝

・木村毅『日米文学交流史の研究』講談社、1960、恒文社、1982

・E・マイナー『西洋文学の日本発見』（深瀬基寛、村上至孝、大浦幸男訳）、筑摩書房、1959

・マシュー・レイノルズ『翻訳　訳すことのストラテジー』（秋草俊一郎訳）、白水社、2019

・小松靖彦「双方向的日本文学研究をめざして」『昭和文学研究』第81集、2020・9

（小松靖彦）

〈文学交流〉の理論

〈文学交流〉という実験的フィールド

〈文学交流〉は「国際性」と「学際性」を備えた新しい日本文学研究のあり方を探る実験的なフィールドです。異なる言語や文化の要素が混淆・混成する場に光を当て、種々の要因が交差し連鎖する複雑な関係性が文学現象にどのように作用するのか、またそうした場から生まれた文学テクストがそれを受け入れた社会にいかなる影響を及ぼすのかを考えます。その際に注目されるのが「翻訳」という営みで、翻訳テクストや翻案作品は〈文学交流〉のフィールドで研究に取り組む人たちに共通する分析対象となります。ここでは、〈文学交流〉の大まかな見取り図を描いた上で、理論的なアプローチをする際の要点をまとめていきたいと思います。

〈文学交流〉の射程

〈文学交流〉の全体像は図のようにイメージされます。「創造―転写―発送―解釈」という流れがあり、各段階を矢印で結ぶことでその複雑な関連性を表しています。「生産―流通―消費」という経済活動の基本的な構図を、〈文学交流〉に合わせてアレンジを加えたものです。

〈創造ー転写ー発送ー解釈〉の環流

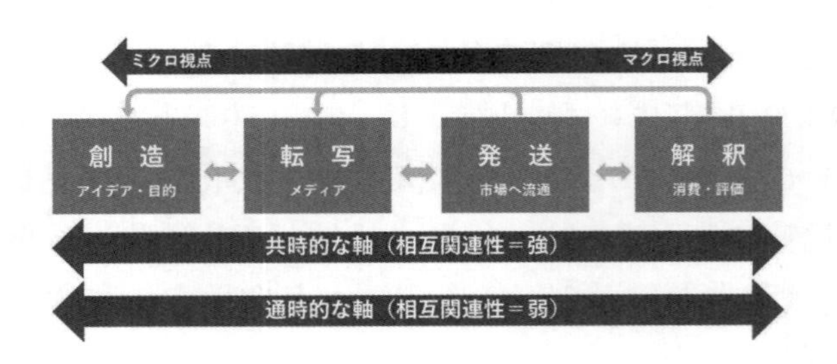

各段階について解説すると、まず「創造」は、ある異文化テクストを自文化に移し換えようという「目的」や「アイデア」が構想される段階です。「転写」は、そのアイデアが何らかの「メディア」に落とし込まれて一定の成果物が生み出される段階であり、「発送」は、出来上がった成果物を市場に送り出して社会に流通させる段階となります。社会に出た成果物はそこで様々に消費され評価される「解釈」の段階へ至ります。社会に流通した成果物が、思わぬ形で新たな「創造」へと繋がることもあるでしょう。

「創造」から「解釈」へと移行するにつれて「ミクロ視点」から「マクロ視点」へと段階的に移行していくことになります。各段階の相互関連性は、同時代的であるほど強くなり、逆に時代の隔たりが大きいほど弱くなります。大きく分ければ、成果物が生み出されるまでの「創作プロセス」（創造―転写）と、成果物が社会に受け入れられていく「受容プロセス」（転写―発送―解釈）の二つに区分することができます。〈文学交流〉ではこのプロセスの中の「成果物」である「翻訳・翻案」に注目して、その全体像を踏まえた様々な問いを発することになります。

では、この一連のプロセスで「理論」がどのような役割を果たすのか。今のところ、このプロセス全体を包括するような理論的な枠組みはありません。それぞれの目的に応じて、参照される理論は自ずと異なることになるでしょう。では、その目的にはどのようなものがあるでしょうか。理論の意義を明確にするためにも、これまでの研究について触れておきましょう。

これまでの研究の特徴と問題点

ポイントを列挙すると、以下のようになります。

・日本における外国文学の受容・翻訳／外国における日本文学の受容・翻訳

・ミクロな視点／マクロな視点

・意味の「変容」＝〈言語との関係／文化や社会との関係（＝異文化接触）〉

これまで日本文学と異文化との関係を考えてきたのは「比較文学」の領域です。その視座は「日本における外国文学の受容・翻訳」が中心で、「外国における日本文学の受容・影響」を論じるものは多くありません。後者の視座からの研究として日本文学の「外国語訳」の研究が行われてきましたが、そこでは翻訳のミクロな分析（＝語・文・テクストなど）に重心が置かれ、マクロな分析（文化・社会・テクノロジーとの関係性＝異文化接触の問題）は訳者・訳本の時代背景の説明に止まるものです。翻訳には意味や形式に何らかの「変容」が不可避的に生じますが、その変容の要因は言語学や記号論で考察され、時に「翻訳者の理解不足」や「誤訳」として処理されることもありました。しかし、翻訳という現象は、ことばの意味の移し換えだけの問題ではありません。文化や社会的な要因も深く関わります。原文と翻訳を比較して、その対応関係の精度を論じる従来の研究では、翻訳の持つ複雑さを拾い切れてはいないでしょう。先に挙げた全体像の中に従来の研究を当てはめるのならば、「創造―転写」という「創作プロセス」における「意味の移し替え」というミクロな視点での考察でしかなく、「受容プロセス」やそれとの関係で問題として浮上する事柄も含めて、包括的に取り組まれる必要があるでしょう。「翻訳」という現象を、より広く、より多角的に考察しようとした際に、その視座・方法・理論について示唆（しさ）を与えてくれるのが「翻訳学（トランスレーション・スタディーズ）」の知見です。

「翻訳学（トランスレーション・スタディーズ）」とは

「翻訳学」は20世紀後半に一つの学問領域として認められるようになった学際的な分野で、翻訳という現象に対して分野横断的（言語学、記号論、文学理論、カルチュラル・スタディーズ、文化人類学、社会学、歴史学、哲学など）なアプローチを試みます。ここでの「翻訳」は、異言語や異文化を読解・解釈し、それを自言語や自文化に変換・再構成していく手法やプロセスの全般を含む概念となります。「翻訳」は新たなコミュニケーションを生み出し、これまで「起点テクスト」にアクセスすることのなかった／できなかった人たちに対して、それへアクセスする回路を開いていきます。

基本的な参考書としてジェレミー・マンデイ Jeremy Munday（1960-）『翻訳学入門』とアンソニー・ピム Anthony Pym（1956-）『翻訳理論の探究』があり、いずれも初期の言語学的なアプローチから、文化社会的コンテクストとの関係性を視野に入れた研究への展開、さらに現在の新たなメディア環境における翻訳研究の可能性について概説しています。

翻訳を文化や社会との関係から捉える手法・理論を学ぶのであれば、マンデイの「第7章　システム理論」（翻訳文学を受容した言語圏における文学システムとの関係）、「第8章　文化的・イデオロギー的転回」（「テクストとしての翻訳」から「文化と政治としての翻訳」への転回）、「第9章　翻訳者の役割：可視性、倫理、社会学」（翻訳者や翻訳のプロセスに関与する人々の立場とその関与）、「第10章　翻訳の哲学的理論」（翻訳の本質を追求した近現代の哲学的アプローチを概説）が参考になります。カルチュラル・スタディーズ的なアプローチやジェンダーと翻訳（者）の関係性、支配的言語と地域言語の不均等な権力関係を露わにするポストコロニアル翻訳理論や、翻訳学に「差異」からの問いが導入されたきっかけとなる言語論的転回以後の翻訳をめぐる言及など、より具体的な理論へ進む際のガイドにもなるでしょう。

〈文学交流〉の問いの領域と手法・理論

翻訳学がその分析対象や方法を拡張させていった歩みをヒントに、〈文学交流〉の問題群を整理してみましょう。(A)～(D) に分類しましたが、それぞれは単独で存在しているのではなく、様々に関連し合っていることを前提に理解してください。

(A)「意味」の問題（言語学、記号論など）

語に含まれる「価値（意味の厚み・奥行き・幅）」に関わる問題です。翻訳学では、起点言語における「意味（価値）」と目標言語における「意味（価値）」が「等しい価値（等価）」を実現しているか否か、またどういった等価関係にあるのかが検証されます。形式的等価／動的等価、意味論的等価／語用論的等価などとして分析され、従来の研究の感覚的な分類（直訳か意訳かなど）を理論的に整理することができるでしょう。ただし、〈文学交流〉では翻訳による「意味の変容（シフト）」を「等価関係にあるか否か」ではなく、(B)(C)(D) の視座で捉えることの方を重視します。

(B)「文化」の問題（構造主義、ポスト構造主義の諸理論など）

翻訳の難しさは言語学的な違いだけではなく、文化的な違いにも起因します。「文化」の問題は、構造主義（人間の認識や振る舞いを規定する無意識の「構造」を想定する）やポスト構造主義の諸理論とも関連する箇所で、いずれも現実が社会的な構築物である言語によって作られることを前提とします。私たちはある時代、ある地域、ある社会集団に属しており、その条件によってものの見方、感じ方、考え方が規定されています。ソシュール Ferdinand de Saussure 以後の言語学的観点では、ものの性質や意味や機能は、それを含むネットワークや「システム」の中でどのようなポジションにあるかによって事後的に決まります。つまり言語が異なれば見えているものも異なることになり、翻訳学はそうした文化の「システム」の違いが翻訳の方略とどう関わるのか、文化の違いを超えてどのような等価性があり得るのか、翻訳者は起点言語と目標言語のいずれの文化システムに対して忠実に振る舞っているか、さらに翻訳作品は受容文化のシステムの中でどう位置づけられるのかなどを考えました。構造主義的観点からの翻訳論は文化的な違いの中に普遍的なシステムを見出して「翻訳可能性」へと向かいますが、そうしたシステムから外れるもの、逸脱したもの（＝翻訳不可能性）に世界を変えるダイナミズムを見出そうとしたのがポスト構造主義になり、次の (C) と深く関わることになります。

(C)「社会」の問題（権力、ジェンダー、ポストコロニアル、マイノリティなど）

社会との問題で注目されるのは「権力」との関係です。「翻訳」には様々な「権力」が関わります。わかりやすいものであればクライアントや評論家のような存在、また、道徳的、政治的、宗教的な理由による「検閲」などがあるでしょう。出版に至るまでに「検閲」的な要因は無視できないものがあり、それが先の全体像の中に「発送」を入れた理由でもあります。また、(B) の箇所でも文化による違い、つまり「差異」について触れましたが、ここで問題となるのは「差異」そのものよりも「差異」に意味を付与する「差異化」に潜む文化的・政治的な力学になります。誰が、誰に向けて、どの位置から、何を、いかに語るのか、という問いの中でも「どの位置」からが重要なポイントです。異文化間の力関係は決して対称的ではありません。翻訳される文化と翻訳される文化の力関係は、作品選びや言葉の解釈・選択などに大きく影響します（受容化／異質化）。権力によってどのように「他者化」されていくのか、その意味付けに被支配者側は同一化するのか、それとも抵抗するのか。〈文学交流〉では、古代の〈日本と中国〉、近代の〈日本と西洋〉や、日本が植民地主義的な力を行使した他のアジア諸国との非対称性などが視野に入るでしょう。

言語・文化・社会との関係で「欲望」、「無意識」といった問題も重要であり、その射程は先の全体像の至るところに関わってきます。「他者の欲望を欲望する」ことや、どのような「欲望」に主体は「同一化」するのかなど、言語の習得による「社会化のプロセス」を精神分析は理論化しますが、その知見は「創造―転写―発送―解釈」のプロセスで翻訳に関わる人々や社会の心理的な無意識、社会的・政治的な無意識に関わる重要な視点を提供してくれます。

(D)「文明」の問題（テクノロジー論、メディア論など）

この視座は「文化」や「社会」に含められるのですが、あえて別に項目を立てました。その理由は、現代社会に大きな変化を起こしている要因として「テクノロジー」の革新があり、それと不可分の関係にある「メディア」の多様化が無視できない問題だと思われるからです。文学研究が主に対象としてきたメディアは「活字」「書物」といったメディアです。近代の知は「活字」「書物」を特権的なメディアとして、学校や大学を社会的な制度として形作られました。しかし、現代は活字を単位としたメディア基盤のみに依拠しておらず、多種多様なメディアを活用して生活しています。こうした情報通信技術の発展に伴うメディア環境の変化は〈文学交流〉とも無関係ではありません。新たなメディア環境における日本文学の可能性を模索する必要があり、そうした観点から〈文学交流〉に組み込みたい領域が「翻案（アダプテーション）」です。

「翻案（アダプテーション）」という領域

原作から異なるメディア（媒体）への翻訳は「翻案」と呼ばれます。文学テクストは様々なメディア（言語・映像・パフォーマンスなど）やジャンル（文学・映画・アニメなど）を横断しながら、再解釈と再創造の営みを経て生き延びていきます。翻訳と同じく翻案は、新たなコミュニケーションの回路を開きます。ただし、翻案の場合は、メディアを移し替えた際の変容が言語や文化に関係するものだけではなく、メディアやジャンルも横断しているために状況はさらに複雑になります。翻案に関する参考文献として、リンダ・ハッチオン Linda Hutcheon『アダプテーションの理論』（1947）を挙げておきましょう。翻案元テクストと翻案作品の内容を二項対立的に比較するのではなく、「語る」、「見せる」、「参加する」という翻案者と受容者が作品と取り持つ三つの「関与形態」を基盤に、物語の変換プロセスと、変換された物語の受容プロセスの両面を考察しています。伝統的な印刷メディアや演劇的メディア（映画、文学、演劇、オペラ、テレビ）から、これまで注目されることのないメディア（ビデオゲーム、テーマパーク、カバー曲など）も取り上げており、こうした領域にも積極的に関わっていく必要があるでしょう。

以上、〈文学交流〉の全体像を翻訳とその問題群を中心に示してみました。とても複雑なフィールドですが、そうした複雑さを複雑なままで理解し説明する方法が、分析ツールとしての理論です。複雑さに立ち往生せず、必要な理論を片手に携（たずさ）えて一歩目を踏み出してください。

＝さらに深く学ぶために＝

・ジェレミー・マンデイ『翻訳学入門』（鳥飼玖美子監訳）、みすず書房、2018（新装版）
・アンソニー・ピム『翻訳理論の探究』（武田珂代子訳）、みすず書房、2020（新装版）
・リンダ・ハッチオン『アダプテーションの理論』（片渕悦久、鴨川啓信、武田雅史訳）、晃洋書房、2012

（西野入篤男）

— *column* — グローバリゼーションとグローカリゼーション

グローバリゼーションとは「ヒト、モノ、カネ、情報などが移動し、地球規模での一体化・均質化が進むこと」だといわれます。読者のみなさんも、ほんの数秒で、無数の具体例――コカコーラ、クリスマス、ゾンビ映画――を思い浮かべることができるでしょう。ですが、その発生と帰結、評価と定義を少しでも厳密に考えようとした途端に、強烈な困難に行き当たります。

マンフレッド・B・スティーガー Manfred B. Steger は、グローバリゼーションを「見えない象」だと述べています。あらゆる学術領域がグローバリゼーションについて語るけれども、その対象も実態も概念的整理もおぼつかない。それでも、その影響は人の生活に隈(くま)なく入り込んでいます。ですから、世俗的な見方では、グローバリゼーションは、グローバルな強い力を、弱い個人／地域は黙って受け入れるか、反発するのかを選ぶよう迫るものだと理解されます。ヒュー・マッケイ Hugh MacKay は、グローバリゼーションに対する態度を、グローバル論者・積極的グローバル論者（楽観主義者）・悲観的グローバル論者・伝統論者・変容論者に分類しています。態度に差はあれ、いずれも反発か受容のどちらかに与(くみ)するものと言えるでしょう。C・G・スピヴァク Gayatri Chakravorty Spivak の「惑星的思考」や、エドゥアール・グリッサン Édouard Glissant の「全＝世界論」などの思想は、グローバリゼーションが襲いかかる〈弱い場所〉、〈弱い人〉からの異議申し立てとして提示されています。

しかし、グローバリゼーションのこの捉え方とは、異なる見方もあります。R・ロバートソン Roland Robertson は「グローカリゼーション」というビジネス用語だった概念を蘇(よみがえ)らせ、ローカルとグローバルとの関係における文化や宗教の、一筋縄ではいかない複雑さを指摘しました。それを受け、上杉富之(うえすぎとみゆき)はグローカリゼーションを「グローバリゼーションとローカリゼーションが同時に、しかも相互に影響を及ぼしながら進行する現象ないし過程」と再定義しています。それに続く研究は、グローバルな事象とローカルな受容・発信を、同時かつ相互の関係性から考え、グローバリゼーションにおける力の不均衡さの複雑さを捉え直す必要を説いています。遠藤薫(えんどうかおる)は、このグローカリゼーション的発想を進めて、ローカルライズ文化同士の関係性によってグローバルな対象が認識されるという「三層モラルコンフリクト理論」を提唱しており、複雑な創作・受容形態をもつ現代のポピュラーカルチャーの分析に広く使われています。

日本古典文学や日本史、日本思想史の関心からも、グローバリゼーション・ローカリゼーションの議論に参与できるはずです。ロバートソンは、日本語の「土着化（dochakuka）」にヒントを得て、近代以前の日本にはグローバル化を準備する下地があったと言います。成城大学グローカル研究センター（CGS）刊行の論集やグローカル・ヒストリーの書物がその導き手となるでしょう。昨今強く「国際化」が叫ばれる日本文学の世界にあって、グローバル化に対する広い代替的(オルタナティブ)な見識を持つことは、世界と人との色彩豊(カラフル)かな関わり方を考える契機となるはずです。

＝さらに深く学ぶために＝

・上杉富之編『グローカリゼーションと越境』成城大学グローカル研究センター、2011
・遠藤薫『聖なる消費とグローバリゼーション　社会変動をどうとらえるか　1』勁草書房、2009
・ローランド・ロバートソン『グローバリゼーション　地球文化の社会理論』（阿部美哉訳）、東京大学出版会、1997　＊抄訳

（梅田径）

Ⅱ　〈文学交流〉の歴史

奈良時代〔6～8世紀〕の〈文学交流〉

「東アジア文化圏」

日本における、広い意味での〈文学交流〉は、4万年から3万年前に、人がユーラシア大陸から日本列島に到来した時から始まったと言うことができます。彼らは歌や伝承を携えていたと思われます。日本列島定住後にも大陸と交流があったでしょうし、その後も、日本列島には大陸のさまざまな地域から人が波状的に到来しています。日本列島・大陸間や異なる出自の集団間で、歌や伝承の交流が行われたことが想像されます。

しかし、文献の上で〈文学交流〉を確認できるのは、中国を中心に朝鮮半島・日本・ベトナム・西北回廊地帯東部（現在の甘粛 Gansu 省）を範囲とする「東アジア世界」が成立した漢代 Han dynasty 以後となります。堀敏一によれば、この文化圏は、中国と周辺諸国間の朝貢（貢ぎ物の献上によって帰服を示す）と回賜（高額のお返しをして恩恵を与える）の関係で成り立っており、周辺諸国には、中国の法令・儀式に従う義務も課されました。

この「東アジア文化圏」において、日本と他国との本格的な〈文学交流〉が始まるのは、8世紀からです。とはいえ、それまでに分厚い人と書物の交流が積み重ねられていました。

日本と中国・朝鮮半島間の人の交流

日本と中国の交流は、文献の上では、西暦57年に、倭（「日本」以前の呼称）の奴国（九州北部の地域政権）王が後漢に使節を派遣したことに遡ります（『後漢書』）。その後、3世紀編纂の歴史書『三国志』（『魏志』巻30・東夷伝・倭人条）で、中国人にとっての倭人像が形成されます。それは、顔や体に入れ墨をし、水に潜って魚や蛤を捕らえ、気候温暖で、皆裸足で暮らしている、というものでした。5世紀には、日本と中国の間で使者の派遣がたびたび行われましたが、この“南方の漁労民”という倭人のイメージは、梁 Liang で制作された、朝貢する諸民族を描く『梁職貢図』でも踏襲され、倭人の使者は、濃い髭に、簡素な上着を着た裸足姿です。この倭人像は、7世紀編纂の歴史書『隋書』（巻81・東夷伝・倭国）に引き継がれます。

このようにイメージ先行の日本と中国との交流に対して、日本と朝鮮半島の間では、特に6世紀以降、直接的な人の交流が活発に行われました。6世紀以前も交流は行われていましたが、分裂していた中国を統一して世界帝国となった隋 Sui・唐 Tang の朝鮮半島侵出によって、朝鮮半島の国々が日本との関係強化に努めたのです。日本の歴史書『日本書紀』は、日本と百済 백제（日本と特に関わりの深かった朝鮮半島南西部の国家）の双方の宮廷に関わった人々を記録しています。たとえば、紀弥麻沙は、日本の有力氏族・紀氏の男性と「韓の婦」の子で、百済の宮廷に仕え、聖明王〔聖王성왕〕の使者として日本に派遣されました。物部麻奇牟も百済の宮廷に仕え、聖明王の使者として日本に派遣され、扶南（メコン川下流のクメール族の国）の財物を献上し、また百済の東方領（東方の軍事指揮官）として新羅신라（朝鮮半島南東部の国家）を攻めました。彼らのような人々が活躍した背景には、近代国民国家よりも、「国境」や「民族」の観念がゆるやかであったことが考えられます。

書物の道

また、6世紀から、百済を通じて、儒教経典、仏教経典、卜書（占いの本）・暦本などの書物が日本に渡来します。これらの書物を贈ったのは百済の聖明王です。この頃、建国まもない梁が、

儒教の復興に力を入れていました。その後、梁の武帝は仏教に傾倒し、『大般涅槃経』、『摩訶般若波羅蜜経』を講義するようにもなりました。周辺諸国は競って梁に仏像や経典を求めました。その中で最も熱心であったのが聖明王です。聖明王は、南進を目論む高句麗고구려（中国東北部〜朝鮮半島北部の国家）に対抗するため、儒教と仏教によって梁との強固な関係を築くとともに、梁の政治・文化を伝えることで日本との関係も強化しようとしました。一方、武烈天皇の死後、皇統が途絶えて混乱状態にあった日本にとっても、梁の進んだ政治・文化の導入は、内政を安定させる手がかりでした。《梁—百済—日本》という書物の道が作られたと言えます。

6世紀末、隋の高句麗遠征が行われると、高句麗は日本との関係を積極的に求め、紙の製造技術などを身に付け、儒教にも通じた僧侶曇徴담징らを派遣します。貴重な護国経典『仁王護国般若波羅蜜経』なども、高句麗から日本に贈られたようです。

このようにして到来した書物を通じて、日本は中国文化を受容してゆきました。和文では、書物のことを「ふみ」と言います。「ふみ」は書物だけでなく、文字で書き記したもの全てを指します。また、「ふみ」の語源は、漢語「文」の字音という説が有力です。漢語「文」は、模様・飾り・彩り、そして文字を意味します。古代日本人にとって、漢字という文字で書き記されたものが複雑でマジカルなものであり、その解読こそが重要であったことが窺えます。

「東アジア世界」の中での日本の位置（*遣唐使の次数は「日本歴史大系 普及版」に拠る）

630年に日本から第1次遣唐使が派遣されました。838年まで合計17回の遣唐使派遣が行われることになります。第1次遣唐使についての中国側の記録が注目されます。太宗皇帝が、その道の遠いことを矜れみ、毎年の入貢をやめさせたのです（『旧唐書』）。朝貢は本来毎年行うものです。唐は、周辺諸国について、皇帝の支配の行き届く地域を「蕃域」として称号や官職を与え、それが及ばぬ地域を「絶域」としました。毎年の朝貢を免除され、称号も官職も与えられなかった日本は「絶域」でした。日本と唐の間には、東シナ海があり、上陸地揚州 Yangzhouから首都長安 Chang'anまでは水路約500㎞、陸路約500㎞の道のりです。

日本は、701年に第7次遣唐使を任命します。この遣唐使は、日本が「東アジア世界」の“文明国家”となったことについて、唐の認知を受け、他の周辺諸国に宣言するという使命を帯びていました。7世紀の日本は「東アジア世界」の“文明”である〈漢字・儒教・律令・仏教〉の導入に力を注ぎ、701年に「大宝」の元号を制定し、また大宝律令を完成しました。第7次遣唐使は、大使の上に執節使が置かれ、律令編纂に携わった粟田真人が任命されました。万葉歌人の山上憶良も随行。この遣唐使を迎えた唐（厳密には、則天武后が帝位にあった周 Zhou）側の歴史書『旧唐書』は、「日本は倭国と別種なり」と述べ、真人が儒教経典に通じ、温雅な容姿であったことを特記しています。“南方の漁労民”の国・倭国のイメージが覆されたのです。

阿倍仲麻呂と王維

以来、「東アジア世界」の“文明”を身に付けた遣唐使たちと、唐の知識人たちの交流が始まります。その中で、民族を超えた〈文学交流〉を実現したのが、阿倍仲麻呂（698または701-770）と王維 Wang Wei、李白 Li Bei/Li Poら唐の詩人たちです。仲麻呂は717年出発の第8次遣唐使の留学生として唐に渡り、最高学府の太学に学び、官吏登用試験の科挙に合格して、司経局校書（太子図書館所蔵本の校異を担当）に任官、皇帝の侍従などを経て、秘書監（秘書省長官）に就任しました。在唐36年となる753年に、第10次遣唐使とともに帰国することになったとき、王維たちは送別の宴を開き、仲麻呂に「秘書晁監の日本国に還るを送る」という詩を送りました。「晁」は仲麻呂の中国名「晁（朝）衡」を指します（詩の本文は『全唐詩』に拠る）。

積水不可極　積水　極むべからず　（大海原の極みはわからない）
安知滄海東　安んぞ滄海の東を知らむ　（青い海のさらに東をどうして知ることができよう）
九州何処遠　九州　何れの処か遠き　（世界の中で一番遠いのはどこか）
万里若乗空　万里　空に乗ずるが若し　（遥かな距離を、空を翔るようなところ）
向国惟看日　国に向かふは惟日を看　（あなたの国に向かうためにはただ太陽を見）
帰帆但信風　帰帆は但風に信すのみ　（帰国の船路はただ風任せ）
鼇身映天黒　鼇身　天に映じて黒く　（大海亀の背は天を映して黒々として）
魚眼射波紅　魚眼　波を射て紅なり　（魚の眼は波を射て赤々と輝く）
郷樹扶桑外　郷樹は扶桑の外　（あなたの故郷の木は神木の扶桑よりも向こう）
主人孤島中　主人は孤島の中にあり　（あなたの主君は絶海の孤島の内にいる）
別離方異域　別離すれば方に異域なれば　（別離すればもはやあなたは別世界の住人なので）
音信若為通　音信　若為に通ぜむ　（たよりを交わすこともできない）

日本が世界で最も遠い場所で、そこに至るには太陽と風ばかり頼りで（人間の力が及ばない）、船旅には恐ろしい生き物が待ち構えていることを言い、その絶海の孤島に帰れば、二度と会うことも手紙を交わすこともできないという悲しみを歌っています。「鼇身　天に映じて黒く」は、大海亀が仙山を背負っているという伝説を、「郷樹は扶桑の外」は、日の昇る所に扶桑という神木があるという伝説を踏まえています。どちらも隔絶のイメージを強調しています。

一方、仲麻呂は「命を銜んで本国に使いす」という詩を詠んで、友との別れを悲しんでいます。王維の詩に応じた作と見る説もあります（詩の本文は『文苑英華』に拠る）。

銜命将辞国　命を銜みて将に国を辞せんとす　（皇帝陛下の許可を得て国から去ろうとしている）
非才忝侍臣　非才侍臣を忝くす　（才能無き臣下であることを申し訳なく思う）
天中恋明主　天中の明主を恋ひつつも　（世界の中心にいる明主を慕いながらも）
海外憶慈親　海外の慈親を憶ふ　（海外の私を慈しんだ親を思う）
伏奏違金闕　伏奏して金闕を違り　（伏して帰国の許可を賜り宮廷を離れ）
騑驂去玉津　騑驂して玉津を去らむ　（添え馬に乗り、陛下の港を去る）
蓬莱郷路遠　蓬莱の郷路は遠く　（蓬莱へ帰る道は遠く）
若木故園隣　若木は故園の隣にあり　（神木の扶桑は故郷の隣にある）
西望懐恩日　西望して恩を懐ふ日あらむ　（西方を望んでは陛下の恩を思うだろう）
東帰感義辰　東帰して義に感ずる辰あらむ　（東に帰れば友との固い交わりを思い出すだろう）
平生一宝剣　平生の一宝剣を　（普段から大切にしている宝剣を）
留贈結交人　留贈す　交はりを結びたる人に　（交わりを結んだ人に贈る）

玄宗皇帝に詫び、皇帝を恋い慕いながらも親を思う心の強さを言います。中国では親への「孝」が、君主への「忠」に勝ると考えられています。それにしても「恋」は強いことばです。「蓬莱」は東方の仙人の島で、「若木」は扶桑のこと。王維同様に、日本を遥かに遠い別世界と表現しています。仲麻呂が中国人のまなざしを内在化していたことがわかります。「西望して…」、「東帰して…」の対句には、仲麻呂と、皇帝や友との絆の強さを感じさせます。

しかし、仲麻呂の乗った船は暴風雨で安南（現在のベトナム）に漂着。唐に戻った仲麻呂は、帰国することなく生涯を終えました（高木卓の歴史小説「遣唐船」が仲麻呂の葛藤を描いています）。

長屋王と新羅の外交使節

漢詩は日本と唐の知識人の間だけでなく、「東アジア世界」共通の文学として、日本と新羅の知識人の間でも交わされました。新羅は6世紀に政治制度の改革を行い、急速に国力を高めます。7世紀初に唐が建国されると、直ちに使者を送り、唐と強力な関係を結びました。新羅と唐の連合軍は、百済を滅ぼし、663年に、白村江〔白江백강〕で、百済復興軍とこれを支援する日本軍を打ち破りました。668年には、新羅と唐の連合軍は高句麗も滅ぼし、その後、新羅は唐の勢力を排除して、朝鮮半島の統一を実現しました。唐との関係が悪化した7世紀後半、新羅は日本との関係を重視し、新羅・日本双方で30回を超える使節の往来があり、日本から新羅への学問僧の派遣、新羅の僧侶や官人の日本移住も活発に行われました。大伴家に寄寓した尼僧の理願もその1人であったようです（後に大伴坂上郎女がその死を悼む挽歌を詠みました）。

しかし、7世紀末に唐との関係を改善した新羅は、日本に対するそれまでの低姿勢から、対等な関係を求め、外交関係は急速に悪化してゆきます。722年に新羅は王京（慶州경주）の南に関門城（毛伐郡城）を築き、「日本賊路」を遮断しようとします（『三国史記』）。関門城と大宰府（九州北部の日本の外交施設）は、対馬を挟んでほぼ等距離にあります。727、8年頃に大伴旅人が長官として大宰府に派遣されたのも、こうした状況に対応するためと思われます。大伴氏は新羅情勢に詳しく、旅人には大将軍として隼人（南九州の部族）の反乱鎮圧の実績がありました。

723年に金貞宿김정숙ら新羅使が来日します。漢詩集『懐風藻』には、当時の首班長屋王邸の送別の宴で、長屋王始め日本の知識人たちが詠んだ漢詩が収められています（宴の時期は井実充史説による）。それらは、「莫謂滄波隔　長為壮思篇〔謂ふこと莫れ　滄波の隔つると長く為さむ壮思の篇〕（われわれの間を青い波が遠く隔てているとおっしゃるな。長くいつまでも、宴席での盛んな思いを詩にして慰めましょう）」（長屋王）、「相顧鳴鹿爵　相送使人帰〔相顧みる鳴鹿の爵　相送る使人の帰るを〕（互いに見まわし、賓客のための「鳴鹿」を歌い、盃を満たして、互いに見送る。新羅の使者たちを）」（刀利宣令）のように、確かに「友」として別れを惜しんでいます。しかし、長屋王の詩には、「壮思篇」を始め、「高旻」（高い秋の空）、「菊浦」（菊の咲く池の浦）など唐代までの中国詩に用例の少ない、やや特殊なことばが使われています。また、宣令の詩は、中国古代の歌謡集『詩経』の歌「鹿鳴」を踏まえます。この歌は、王が賓客をもてなすことを歌ったものです。長屋王らは難解なことばや出典のあることばによって、新羅使に“文明”の高さを知らしめようとしているように見えます。日本と新羅において、漢詩は外交の道具でもあったのです（新羅側の詩は現存しません）。前近代において、漢詩・漢文は、日本・朝鮮半島間の〈親和と反発〉を表現する媒体となってゆきました。

＝さらに深く学ぶために＝

・堀敏一『東アジア世界の歴史』講談社学術文庫、講談社、2008
・杉本直治郎『阿倍仲麻呂傳研究（手沢補訂本）』勉誠出版、2006
・高木卓「遣唐船」『歌と門の盾』三笠書房、1940
・小松靖彦「疫病・災害を生きる―大伴坂上郎女の酒宴歌・祭神歌・理願挽歌」『緑岡詞林』第45号、2021・3

（小松靖彦）

平安時代〔9～12世紀〕の〈文学交流〉

盛んであった「東アジア世界」の交流

8世紀半ばの安史の乱（安禄山 An Lushan・史思明 Shi Siming らによる大規模な反乱）によって、世界帝国・唐 Tang は衰退し始め、9世紀後半には藩鎮（強大な軍事力を持った地方機構）や農民の反乱が相次ぎました。この情報を得て、日本では、894年に任命の第18次遣唐使の派遣が見送られ、遣唐使は廃絶となりました。そのため、平安時代は日本と海外との交流が途絶えたように、かつては考えられていました。しかし、実際には、9世紀を通じて渤海（沿海州・中国東北部・朝鮮半島北部を版図とした国家）から使者が到来し、外交に止まらず貿易も行っていました（渤海使と日本の知識人の間で漢詩による交流も行われました）。また、9世紀前半には、日本・唐・新羅신라の三国を繋ぐ貿易が、商人たちによって始まっていました。新羅人の張宝高장보고、新羅人の「唐商」李隣徳、渤海人の「唐商」李延孝らがその代表です。新羅商人は、揚州 Yangzhou、楚州 Chuzhou などの貿易の要衝に、「新羅坊」という居住地域も作っていました。日本人、特に留学僧は、彼らの船で日本と唐、後には宋 Song との間を行き来しました。

10世紀以降の日宋貿易で取り引きされたのは、日本へは香料、織物、経典、書籍、文房具、唐画、什器（青磁、白磁など）、鳥獣など、日本からは金、真珠、硫黄、木材、美術工芸品（刀剣、鏡、螺鈿）、武器などでした（森克己による）。奈良時代に続き、経典、書籍が輸入されました。

日本からも少数ながら、書家小野道風の行草書1巻〔入唐僧寛建に託される〕(927)、天台宗の僧侶源信の代表作『往生要集』3巻〔宋の商人周文徳に託され天台山国清寺へ〕(986)、源信の仏教論理学に関する注釈書『因明論疏四相違略註釈』3巻〔宋の商人楊仁紹に託して慈恩寺の弘道 Hongdao 大師へ〕(992) など、書作品や仏教書が中国に送られています。また、仏教に関する学問的交流も行われました。宋の奉先寺の天台僧源清 Yuanquing は注釈書を送り、比叡山の学僧がその内容を批判しました (995)。源信は入宋する弟子に、天台宗義に関する疑問27条を天台僧知礼 Zili に届けさせ、知礼は『答日国師二十七問』でそれらに答えています。

円仁『入唐求巡礼行記』について

平安時代の〈文学交流〉として注目されるのは、仏教を土台とした交流から生まれた円仁 (794-864) の旅行記『入唐求法巡礼行記』です。円仁は日本の天台宗の開祖最澄の弟子です。初期の天台宗は、空海が起こした真言宗に比べて、密教（呪術と儀礼を重視する神秘主義的教えを説く「秘密仏教」）が未発達でした。円仁は中国の天台教学と密教を学ぶために、838年に第17次遣唐使の留学僧（短期）として唐に渡りました。中国天台宗の根本道場天台山（現在の浙江省東部の山）入山の許可が下りないまま帰国の期日が迫ったため、身を隠して遣唐船に乗らず、仏教の聖地五台山（現在の山西省北部の山）をめざしました。不法滞在ながらも僧侶であるため、地方官の支援も受け、1000㎞を超える道のりを経て、840年に五台山に到着、天台教学についての講義を受けました。さらに、円仁は密教を学ぶため唐の首都長安 Chang'an へと向かいます。同年に到着した長安で、元政 Yuanzheng や法全 Faquan から密教の法を授けられ、元簡 Yuanjian やインド僧・宝月 Baoyue に梵字・梵語（古代インドの文字と言語）を学びました。しかし、845年に武宗皇帝による仏教弾圧が始まったため、俗人に姿を変えて長安を脱出、楚州の「新羅坊」惣官（居留民団長）劉慎言の計らいで商船に乗り、847年に帰国を果たしました。

『入唐求法巡礼行記』は、この旅を、漢文で日記形式にして書き綴ったものです。単なる旅行記録に止まらず、嵐に翻弄される遣唐船の人々を緊迫した筆致で描いた場面などは、優れた「記録文学」となっています。また、五台山での中国僧との出会い、文殊師利菩薩の光を見る神秘体験、804年に唐に渡りその後五台山に住んだ日本僧霊仙の死を悲しむ渤海僧貞素の詩の発見などの記述は、「宗教文学」と言うことができます。その中でも〈文学交流〉の観点では次の一節が注目されます。円仁が天台座主の志遠 Zhiyuan の居室に挨拶に伺うと、志遠は、804年に最澄が天台山に来たことを説明した後で、円仁に尋ねました（深谷憲一訳による）。

すなはち、日本天台宗の興隆のことを問ひたまふ。よりて、ほぼ南岳大師が日本に生まれて法を弘められしことを陳ぶ。大衆、歓喜すること少なからず。遠座主は南岳大師が日本に生まれて法を弘められしことを聴きて極めて喜びたまふ。

（『入唐求法巡礼行記』巻第2、開成5（840）年5月16日条。原漢文）

（そして日本天台宗の興隆について質問されたので、天台の高僧南岳大師が日本で聖徳太子として生まれかわり仏法を弘めたことをあらまし申し上げた。大勢の僧がこの話を聞いて少なからず喜んだ。志遠和上も南岳大師が日本に生まれて仏法を弘めたという説を聞いてきわめて喜んだ。）

南岳大師とは、中国天台宗の実質的創始者智顗 Zhiyi の師である慧思 Huisi（517-77）のこと。慧思が聖徳太子に生まれ変わったとする説は、日本に天台宗の主要経典を伝えた中国僧鑑真 Jianzhen の伝記『唐大和上東征伝』などに見え、鑑真の弟子たちの創作と考えられています。最澄とその弟子たちも、日本天台宗を権威あるものとするため、この説を主張しました。志遠らがこれを荒唐無稽とせず、むしろ感激したことが興味深く思われます。〈仏教（天台宗）の弘布〉という使命感が、国境と民族を超えた、この神秘的な物語を受け入れさせたのでしょう。

人間の文学

『入唐求法巡礼行記』には、国境と民族を超えた人と人との繋がりを感動的に描いた箇所があります。円仁は844年に日本への帰国許可を求め、新羅人の李元佐（この時、左神策軍押衙（近衛軍将校））を訪ねます。以後、信仰心の厚い李元佐は、円仁の生活を長安脱出まで支えました。いよいよ円仁が長安を離れる時、多くの餞別を送り、別れの挨拶をします（深谷憲一訳を一部改）。

すなはち云へらく、「弟子は多生の幸あり。和上が遠来して仏法を求めたまふに遇ふことを得、数年供養したてまつれども、心になほ未だ足らず。一生、和尚のほとりを離るることを欲せず。和上は今、王難に遇ひ、もどりて本国に帰り去きたまふ。弟子が計るらく、今生はまさに再びまみゆること得難かるべし。当来、必ず諸仏の浄土にありて、また今日のごとく、和上と弟子たらん。和上、成仏したまふ時、請ふらくば、弟子を忘るることなかれ」と云々。　（『入唐求法巡礼行記』会昌5年（846）5月15日条。原漢文）

（こう言った。「あなたの仏弟子李元佐は輪廻多生してお会いできてしあわせでした。和尚が遠く日本からやって来られて仏法を求める時に遇うことができ、数年の間供養いたしましたが、心はまだ十分満足しておりません。一生和尚のお近くを離れ難く思っております。和尚はいま天子の災難に遇って日本に帰って行こうとしています。この弟子が考えますに、今生ではまさに再びお会いすることはあり得ないでしょう。来生は必ず諸仏のおられる浄土でまた今日のように和尚の弟子となりましょう。和尚が成仏されるときにはどうかこの弟子のことを忘れないでください」と云々。）

今生の別れを思い、来世での再会を願った李元佐は、円仁の納の袈裟（さまざま布を綴り合わせた法衣）を乞い、それを死ぬまで供養すると言いました。仏教が、時空を超えて円仁と李元佐を繋いでいます。国境や民族を超えるためには、共通の何かが必要なことを考えさせる文章です。

平安時代の「和漢様式」

平安時代の〈文学交流〉の特徴を捉えるための重要な鍵が、「和漢様式」です。「和漢様式」とは、松岡正剛が日本における文化の編集方法を説明するために使ったことばの一つです。「漢風」（外来の中国様式）と「和風」（内生の日本様式）のどちらかに絞らず、両方を並立させることです。大内裏（皇居と諸官庁からなる宮城）に、朝堂院（政務・儀式を行う）のような瓦葺きの石畳式の建築と、清涼殿（天皇の日常の居所）のような檜皮葺きの高床木造式建築が並び立っていることや、『古今和歌集』に漢文の「真名序」と和文の「仮名序」の両方があることがその例です。

「和漢様式」の中で、松岡が特に注目したのが、歌人・歌学者の藤原公任（996-1041）が編集した『和漢朗詠集』2巻（1012年頃成立）です。この詩文集は、漢詩文（白居易 Bai Juyi、元稹 Yuan Zhen ら唐の詩人の詩句、菅原道真ら日本の漢詩人の詩句）の秀句と和歌を、題ごとに（上巻は季節、下巻は季節以外）に並べています。漢詩文・和歌・音楽にも通じ、明確な批評基準も持っていた公任ならでは詩文集です。『和漢朗詠集』は平安貴族の必須の教養とされ、11世紀半ば以後、多くの写本が作られました。平安時代の〈文学交流〉を1部の書物で実現したものと言えます。

たとえば、「春夜」の題には、白居易の七言律詩「春中に盧四・周諒と華陽観に同居す」の第3・4句と、『古今和歌集』の凡河内躬恒の歌1首が並べられています。

背燭共憐深夜月　　燭を背けては共に憐れぶ深夜の月

踏花同惜少年春　　花を踏んでは同じく惜しむ少年の春

（燭台の明かりを壁の方に向けて、友人たちと深夜の月を愛でる。花を踏んでは、友人たちを、青春がこの春とともに過ぎてゆくのを嘆く。）

春の夜の　闇はあやなし　梅の花　色こそ見えね　香やは隠るる

（春の闇というものは道理に合わないものであるよ。梅の花を隠そうとしているようで、確かに花の姿は見えないけれども、その香は隠れるものか。）

漢詩は、月と花を友人と賞美する楽しさとその時間がたちまちに失われる嘆きを、情景が目に浮かぶように歌っています。一方、和歌は、闇の中にも馥郁たる梅花の香を愛で、梅花を隠そうとする闇をあたかも人間であるかのように非難します。情景が鮮明な漢詩と感情を強く押し出した和歌、月と花（視覚）を詠む漢詩と闇と香（嗅覚）を詠む和歌。漢詩と和歌は対照的です。しかし、両者を重ね合わせて読むと、漢詩の〈今を惜しむ心〉が和歌に乗り移り、梅花が香る〈今〉がかけがえのない時間となります。逆に、和歌の機知的な発想は、漢詩の青春の時間の楽しさを強調しているように感じられます。春の夜の豊かさとその失われやすさを惜しむ心が全体から響いてきます。

『和漢朗詠集』の漢詩文の秀句は、賦（韻文と散文の中間の文体）や詩の一部を切り出したものです。また、表現が平易なため中国では高く評価されなかった白居易の漢詩文を多く採用しています。『和漢朗詠集』の秀句は、平安貴族の好みに変形されたものに外なりません。しかし、そうであっても、漢詩文の表現力と、和歌の表現力をかけ合わせて、より立体的な表現世界を作ろうとしたことは、平安貴族による実験的な〈文学交流〉であったと見ることができます。

ハイブリッドな平安時代の書物

「和漢様式」という〈文学交流〉は、文学の内容に関わるものでした。文学の媒体である書物（写本）にまで目を向けると、「和漢様式」以上に、さまざまな文化が混ぜ合わされていることに驚きます。12 世紀に制作された「唐紙（からかみ）」を料紙とする歌集や詩文集の写本がそれです。「唐紙」とは、具引き（ぐびき）（胡粉（ごふん）（炭酸石灰）を膠（にかわ）で溶いて塗ること）した紙に、版木で文様を刷り出した紙です。文様は多くの場合、光沢のある鉱物の雲母（きら）を溶いた液で刷ります。中国で発明された装飾料紙です（中国では「砑花箋（がかせん）」yahuajian と言う）。「唐紙」は 11 世紀前半に宋から日本にもたらされました。当初は、輸入された「唐紙」が歌集、詩文集、仏教経典の写本の料紙としてそのまま利用されました。しかし、12 世紀になると、院政を行った上皇を中心に、日本の貴族たちは、国産の「唐紙」を製作できるようになりました。

どのような文様が刷り出されていたかを、国産の「唐紙」だけを用いた「金沢本万葉集（かなざわぼんまんようしゅう）」（12 世紀前半写、書家藤原定信（ふじわらのさだのぶ）筆。冊子本）で見てみましょう。この『万葉集』の写本には、18 種類の文様を刷り出した「唐紙」が用いられています。四辻秀紀（よつつじひでき）の研究によって、国産の「唐紙」には、(1) 宋の「唐紙」の文様をそのまま踏襲したもの、(2) 日本独自の文様があることがわかっています。「金沢本万葉集」では、合生唐草文（がっしょうからくさもん）、獅子（しし）二重丸唐草文、孔雀（くじゃく）・七宝相華（しっほうそうげ）唐草文、大宝相華唐草文、牡丹（ぼたん）唐草文、花菱（はなびし）花唐草文、亀甲繋（きっこうつなぎ）文、七宝繋（しっぽうつなぎ）文、波文、西瓜（すいか）文などが (1) となります。これらは確かに中国で完成した文様です。しかし、唐草文は、永遠の生命を象徴するものとして西アジアで生まれ、サーサーン朝ペルシア Sasanian Empire（224-651）で愛好され、中国に伝わったものです（「唐草」ということばは、外来の草の意で、日本で生まれた）。唐草文に組み合わされた獅子もサーサーン朝ペルシアで王の力を示す動物です。亀甲繋文も西アジア由来と考えられています。一方、牡丹は富貴、西瓜は多産の象徴として中国で好まれた植物です。(2) としては、葦（あし）に鶴図があります。葦の生える水辺にたたずむ鶴と飛翔する鶴を描く図は、「やまと絵」（日本の風物を題材とする絵）の一種と言えます。

獅子二重丸唐草文の獅子

「金沢本万葉集」はこれらの文様を白・淡緑・淡黄の雁皮紙（がんぴし）に刷り出した料紙に、奈良時代の歌集『万葉集』を歌ごとに漢字本文（漢字）と読み下し文（仮名）を交互に並べ、速度感のある筆遣いで書写しています。時空を超えたハイブリッドな美がここに実現されています。

＝さらに深く学ぶために＝

・『新編森克己著作集　第 1 巻　新訂 日宋貿易の研究』勉誠出版、2008
・円仁『入唐求法巡礼行記』（深谷憲一訳）、中公文庫、中央公論社、1990
・伊吹敦「聖徳太子慧思後身説の形成」『東洋思想文化』第 1 号、2014・3
・松岡正剛『日本という方法　おもかげ・うつろいの文化』NHK ブックス、日本放送出版協会、2006
・四辻秀紀「料紙装飾―日本人が培ってきた美意識の系譜」徳川美術館編『秋季特別展　彩られた紙　料紙装飾』徳川美術館、2001

（小松靖彦）

中世〔13 ～ 16 世紀〕の〈文学交流〉

世界史の変革期

13 ～ 16 世紀、日本の鎌倉時代・南北朝時代・室町時代・戦国時代にかけて、世界の歴史は大きく転換します。アジアでは、13 世紀に、モンゴルが、キプチャク草原・ロシア・東ヨーロッパから中国・朝鮮半島に及ぶ地域を領土とする「大元大モンゴル国（ウルス Ulus)」を打ち立てます。これによって、「東アジア世界」の範囲を超えた、ユーラシア大陸の東西を陸上交通と海上交通で繋ぐ広大な通商圏が生み出されました。杉山正明が「ユーラシア通商圏」と呼ぶこの通商圏では、人種・民族に関係なく 3.3% の商税・関税をかけるだけの自由経済政策がとられており、主にイラン系ムスリム商人とその出身の経済官僚たちが運営を担いました。日本の九州博多湾一帯も、この通商圏が作る海上交通路の東端のターミナルになっていました。

一方、ヨーロッパでは、「大元大モンゴル国」が滅び、次に建国された明 Ming が対外政策に消極的になっていった 15 世紀後半から、アジア、アフリカ、アメリカ大陸への進出が始まります。ポルトガルとスペインが主導した「大航海時代」は、ヨーロッパの交易圏の拡大とともに、キリスト教の世界的布教も企図されました。1543 年にポルトガル人が種子島に漂着して、日本とヨーロッパの交流が開始します。貿易はもちろん、キリスト教の布教も行われました。

日本が、これまでの「東アジア世界」とは全く異なる文化と出合うのが中世です。新たな〈文学交流〉が行われることになりました。

軍事と通商

日本は、モンゴルとの戦争によって、これまでにない〈文学交流〉を体験します。モンゴルによる通商圏の拡大は、その地域を軍事的に制圧し領土へ組み入れる形で進められました。日本は、10 世紀以来、宋 Song との間で貿易を活発に行い、12 世紀後半からは航海術を高めた日本船も南宋 Nansong（宋が金 Jin に滅ぼされた後、1127 年に江南 Jiangnan 地方に再建された国）に渡るようになりました。その貿易権は、モンゴルが南宋を実質的に滅ぼした 1276 年の翌年には、モンゴルに移っています。日本から南宋への主要輸出品に砂金がありました。モンゴル皇帝クビライ Qubilai に仕えたベネチア商人のマルコ・ポーロ Marco Polo は、『東方見聞録』（英語圏での題名 *The Travels of Marco Polo* など）で、日本を“黄金の国”と描きました（愛宕松男訳による）。

> ヂパングは、東のかた、大陸から千五百マイルの大洋中にある、とても大きな島である。住民は皮膚の色が白く礼節の正しい優雅な偶像教徒であって、独立国をなし、自己の国王をいただいている。この国ではいたる所に黄金が見つかるものだから、国人は誰でも莫大な黄金を所有している。

日本についての中国古来の“隔絶の地”のイメージと 8 世紀以来の“礼儀正しい国”のイメージに、ヨーロッパ人の自己投影と金への憧れが重なり、当時の実際の日本とは大きく異なる像となっています。この記述は、日本侵攻より後のものですが、侵攻以前にも、大量の砂金を輸出する日本について、モンゴルではこのようなイメージが持たれていたと考えられます。

モンゴルの日本侵攻は、南宋攻略を進める中で行われました。南宋作戦開始の前後から、日本に降伏を求める使者を送り始め、南宋との国境線でモンゴル軍が大攻勢をかけた 1274 年には、第 1 回日本侵攻軍を派遣しました（「文永の役」）。クビライは、南宋攻略の一環として、南宋と強い通商関係で結ばれ、“黄金の国”であった日本を、「ユーラシア通商圏」に名実ともに組み込むことをめざしたのです。それはまた海上帝国への第一歩となるものでした。

第1回侵攻の双方の兵力は、モンゴル・漢民族連合軍25,000人、高麗고려軍8,000人、艦船900艘に対して、日本軍は数千人程度（新井孝重による）。高麗の合浦から出航したモンゴル軍は、予想外の日本軍の激しい抵抗と、将軍の負傷により、戦闘を中止し出航地に帰還しました。1281年の第2回侵攻（「弘安の役」）の双方の兵力は、モンゴルの「東路軍」（合浦出発）が第1回侵攻と同規模、「江南軍」（慶元（現在の寧波 Ningbo）出発）が10万人、艦船3,000艘（戦艦400艘はムスリム商人・蒲寿庚 Pu Shougeng が調達）に対して、日本軍は65,000人とも、10万人が配備されたとも言われています。「江南軍」には、旧南宋の軍人が日本占領後の移民として多数加わっていました。しかし、モンゴル軍は日本軍の固い防衛と台風によって敗退し、10万人以上が未帰還となりました。

日本側の記録

この戦争について、日本側では、『八幡愚童訓』2巻（諸本中の「甲本」と言われる本）に詳細な記録が残されています。14世紀初頭に、戦勝を祈願した岩清水八幡宮の神官が書いたと推定されています。『八幡愚童訓』は、異民族との戦争による、異文化との衝突を、さまざまな意味で生々しく伝えるものとなっています。

まず、第1回侵攻でのモンゴル軍の戦法や騎馬軍団の戦闘能力の高さを精細に描いていることが注目されます。相手を取り囲んで打ち取るモンゴル軍の集団戦法が目に見えるようです。

> 蒙古が矢は短しといへども、矢の根に毒を塗りたれば、中るほどの者、毒気に負けずといふことなし。数万人矢鋒を調へ雨降るごとく射けるうへ、鉾、長柄、物具の罅間を刺してはずさず、一面に立ち並びて、寄る者あれば中を引き退き、両方の端を回り合わせて取り籠めて、残るところなく討たれける。［中略］甲は軽し、馬にはよく乗る、力は強し、命は惜はず、強盛勇猛にして自在無窮に馳せ行く。　（『八幡愚童訓』〔甲本〕上巻。原漢字片仮名交じり文）
>
> （モンゴルの矢は短くても、鏃に毒を塗っているので、当たった者は、毒気に耐えることができない。数万人が鏃を揃えて雨が降るように射る上に、鉾、槍は、甲冑の隙間を刺して放さず、一面に立ち並んで、近づく者があれば、列の中ほどが後退し、列の両端を、輪を描いて合わせて閉じ込め、残らず打ち取られてしまうのである。［中略］兜は軽く、馬には巧みに乗り、力は強く、命を惜しまず、勢い強く、勇猛で、自由自在に馬を走らせる。）

著者は、互いに名乗りを上げて一対一で戦う日本の武士の戦法との違いに驚きますが、モンゴル軍の巧みな馬術と勇猛さも卒直にたたえます。異文化を冷静に観察する目が働いています。

その一方で、『八幡愚童訓』は、日本軍の勝利を神の神秘的な力によるものとします。第2回侵攻でモンゴル軍が台風に見舞われ時の様子を、西国からの使者のことばとして記します。

> 「さる七月晦日の夜半より、乾の風おびただしく吹く。閏七月一日には、賊船悉く漂蕩して海に沈みぬ。大将軍の船は、風以前に青竜海より頭をさし出だし、硫黄の香虚空に満ちて、異類異形の者ども、眼に遮りしに、恐れて逃げ去りぬ。［以下略］」
>
> （『八幡愚童訓』〔甲本〕下巻。原漢字片仮名交じり文）
>
> （「去る七月末日の夜中から北西の風が激しく吹きました。閏七月一日には、賊の船がすべて波にもまれ漂い、海に沈みました。大将軍の船は、風が吹く前に、青竜が海から頭を現し、硫黄の香

が空に満ちて、異様な姿かたちの者どもは眼を遮られたので、恐れて逃げ去りました。」）

著者は、八幡大菩薩が風を吹かせたのであり、青竜は石清水八幡宮の西御前の祭神沙竭羅竜王の娘（西御前の祭神は比咩大神（特定の名を持たない女神））が力を貸したのだと考えます。『八幡愚童訓』が八幡大菩薩の顕彰を目的としていることにもよりますが、神の加護という広く戦場で見られる考え方が、超常的・神話的イメージを創り出すまでに膨れあがっています。

現実をシンプルに捉えるとともに神仏の加護を強く信じる中世日本人の心性が、異民族との戦争という激烈な異文化との出合いをどのように受け止めたかを『八幡愚童訓』は示しています。

イエズス会の日本布教

16 世紀後半にヨーロッパ人がもたらしたキリスト教は、神仏の加護を強く信じた中世日本人に大きな衝撃を与えました。日本布教を積極的に行ったのはカトリックのイエズス会です。イエズス会はスペイン・バスク地方の貴族出身のイグナティウス・デ・ロヨラ Ignatius de Loyola（1491-1566）を中心に設立された修道会です。1534 年にロヨラは同志とともに、パリのモンマルトルの丘で、〈清貧・貞潔・聖地エルサレム巡礼〉という 3 つの誓願を立て、1540 年に教皇から修道会としての正式な許可を得ました。イエズス会は、「宗教改革」によって批判を受けたカトリック教会の再興をめざしました。イエスを伴侶として神のために働くことを活動の中心に置き、庶民への説教、聖職者の宗教的訓練、子どものための教理と教育を重視しました（高橋裕史による）。この目的に沿って、世界布教にも力を入れたのです。

ポルトガル王によるインド・アフリカへの宣教師派遣の要請を受けて、インド・日本・中国に赴いたのが、イエズス会の創設メンバーの 1 人で、スペイン・バスク地方の貴族出身のフランシスコ・ザビエル Francisco Xavier（1506-52）です。ザビエルは 1542 年にインドのゴア Goa（インド西岸の港。1510 年にポルトガルが占領）に到着し、インドで布教活動を行いました。その後、日本に向かい、中国人のジャンク（帆掛け船）で、コスメ・デ・トーレス Cosme de Torres 神父、ジョアン・フェルナンデス Juan Fernández 修道士、日本人 3 人、中国人 1 人、インド人 1 人とともに 1549 年に鹿児島港に到着。ザビエルは、鹿児島、平戸、山口、京都（後奈良天皇に謁見）、豊後（現在の大分県）で宣教し、教会に仲間を残して、1551 年に再びインドに向かいました。

日本人修道士ロレンソ了斎

ザビエルは日本滞在の 2 年間に多くの日本人をキリスト教に導きました。その中でもザビエルと最も劇的な出会いをしたのが、「ロレンソ了斎」（1526-60）という日本人です。本名は不明です。ロレンソは平戸の漁村に生まれ、片目は見えず、もう片方の目も弱視でした。琵琶法師となって山口を旅した折に、噂を聞きザビエルを訪ねます。このときのことをイエズス会宣教師のルイス・フロイス Luís Fróis が記録に残しています。ロレンソは貴人の家々を訪ねて琵琶を弾いて歌い、洒落と機知で場を楽しませ、昔物語を吟唱してほそぼそと生計を立てていました。フロイスは、彼が才気に富み、優れた理解力を持っていたと記しています（結城了悟訳による）。

> 彼は神父に自分の疑問を提出し、満足してその回答を聞いていたが、そのたびごとに聖なる教えを受け容れるだけに理解が進んだので、彼が充分に教えを受け取ってから、メレテス・フランシスコ（ザビエル）神父は、彼に洗礼を授けて、ロレンソという霊名を与えた。
>
> （ルイス・フロイス『日本史』*Historia de Japam*、第 5 章、1551 年。原文はポルトガル語）

ザビエルの答えに満足し、洗礼を受けたロレンソは、山口でザビエルとフェルナンデスからキリスト教を学び、ザビエル離日後は、トーレスに学ぶとともに通訳を務めました。その後、比叡山、豊後（1556年、この地でイエズス会入会）、平戸、近畿地方（ガスパル・ヴィレラ Gaspar Vilela に従って将軍足利義輝に謁見）、五島列島、近畿地方（ルイス・フロイスに従って織田信長、グレゴリオ・セスペデス Gregorio Céspedes に従って豊臣秀吉に謁見）、平戸と精力的に宣教活動を行いました。

中世におけるキリスト教と仏教の接触

それにしても、ロレンソはザビエルに何を尋ねたのでしょうか。トーレスら宛てのロレンソの手紙と、フロイス『日本史』に記録されたロレンソの説教が手がかりになります（資料は結城了悟に拠る）。ロレンソは、天地には全宇宙の創造主である唯一の神しか存在せず、その神が人間の贖い主、救い主であり、人間を救うために人間として生まれ、ついには処刑された、と説きました。魂の不滅や、人間が永遠の幸せのために造られていることを主張したロレンソの説教は、戦国武士たちの心に強く響きました。仏教が戒める「不殺生」を犯す彼らは、死後の行き先に不安を覚えていたからです。ロレンソの手紙には、自分の前世も現世も来世も知っているとうそぶく僧侶が、ヴィレラ司祭の説教によって回心したことや、「輪廻」を信じて、死後に他の動物が恐れる狼に生まれ変わることを願う宗派が奥州にあったことなどが記されています。仏教の世界観の根本にあるのは「輪廻」です。そして、生々流転するこの世界を実体がないものと捉え、そこからの「解脱」を求めます。これに対して、ロレンソは、「輪廻」そのものを否定し、永遠不滅の魂が、唯一の神とともにあり続けることを説いたのです。

仏教では、身体の障害を、前世に犯した罪によるものと説明します。生まれつき目が不自由なことについても、前世に仏塔の燈明を盗んだりするなどの重罪を犯した結果とします（『大智度論』）。『日本霊異記』や『今昔物語集』などの仏教説話集では、障害のある人々は、出家せずに読経や礼拝などの善行を積みます。重い病を得た者（つまり前世で罪を犯した者）は出家を禁じられていたからです（『十誦律』）。仏教説話集は、善行によって障害が治った奇瑞を示し、仏教に帰依することを説きます。ロレンソは自分の目の障害について、ザビエルに尋ねたのかもしれません。ザビエルは「前世の重罪」を否定し、魂が不滅であり、人間の苦しみを背負ったイエスとともに苦しみに耐えるのが、神の心に沿うことだとを説いたのでしょう。

戦乱の世を生きる人々、特に社会的弱者にとって、キリスト教は救いをもたらすものとなりました。『日本史』やロレンソの手紙は、当時の日本人の考え方と習慣（僧侶の男色もその一つ）や、人目に対する恐れによってキリスト教への入信をためらう人々の姿も伝えています。それぞれの階層、職業集団、ジェンダーなどが、どのようにキリスト教という異文化に向き合ったかを検討することも、中世日本の〈文学交流〉を明らかにするために必要とされています。

＝さらに深く学ぶために＝

・杉山正明『クビライの挑戦　モンゴルによる世界史の大転回』講談社学術文庫、講談社、2010

・マルコ・ポーロ『東方見聞録 1、2』（愛宕松男訳注）、東洋文庫、平凡社、1970、1971

・新井孝重『蒙古襲来』戦争の日本史、吉川弘文館、2007

・高橋裕史『イエズス会の世界戦略』講談社選書メチエ、講談社、2006

・結城了悟『平戸の琵琶法師　ロレンソ了斎』長崎人物叢書、長崎文献社、2005

（小松靖彦）

近世〔17、18 世紀〕の〈文学交流〉

中国小説の伝来と翻案

この時期の〈文学交流〉は、宣教師によって伝来した欧文のイソップ寓話集が日本語に訳されたほか、新たに伝来した『剪灯新話』、『西遊記』、『三国志演義』、『水滸伝』などの中国小説が江戸時代の小説に取り入れられたり、外交使節団である朝鮮通信使（「日本通信使」）と江戸の文人・儒者の間で漢詩の唱和や筆談が行われたりしたことなどが代表的といえるでしょう。

これらの中で江戸文学において影響が大きかったのは、中国小説の伝来です。江戸時代に中国から流入した小説は、単に日本語に翻訳されるのではなく、登場人物や背景などを日本人や日本に置き換えて翻案されました。また、これら小説の中には中国から直接伝来したのではなく、朝鮮を経由して注釈が付いた形で伝わったものもありました。

『剪灯新話』から『伽婢子』へ

日本の怪談は古くは『日本霊異記』、『今昔物語集』などの説話集にも多数採録されていましたが、江戸時代になり大きく発展しました。百物語という怪談会が流行したり、各地の怪談を集めた怪談集が刊行されたり、絵画や絵巻、そして演劇などにも取り上げられることで、文字だけでなく、視覚的、聴覚的にも楽しまれるものとなってゆきました。このような江戸時代の怪談の特色の一つに中国小説の影響をあげることができます。たとえば、歌舞伎や落語でもよく知られている『牡丹灯籠』は明 Ming の怪談集『剪灯新話』の一話「牡丹灯記」が原拠となっています。『剪灯新話』は、1421 年に刊行された怪異小説集で、作者は瞿佑 Qu You（1341-1427）です。大変流行しますが、禁書となったことから完本は散逸し、後に日本から慶長年間の活字本が逆輸入されました。特に「牡丹灯記」は、浅井了意や都賀庭鐘、上田秋成が小説に取り入れるなど、江戸時代の小説に痕跡が見られる代表的な中国小説です。

この『剪灯新話』の興味深い点は、朝鮮の林芑임기が注釈を施した『剪灯新話句解』（1500 年頃）によって、日本では広く流布したということです。『剪燈新話』の影響を受け、朝鮮では『金鰲新話』금오신화（15 世紀）が、ベトナムでは『伝奇漫録』（16 世紀）が作られました。

原話である『剪灯新話』の「牡丹灯記」のあらすじは次のとおりです。正月の上元の夜、家々では灯籠を灯し夜を明かす慣習がありました。妻に先立たれ悲嘆にくれていた喬生はぼんやりと通りを眺めていましたが、牡丹灯籠を下げた少女（金蓮）とともに通りがかった美しい女（麗卿）に惹かれ、深い仲となります。隣家の老人は、女は幽霊であり、このままだと女の霊に生気を奪われ死に至るだろうと喬生を戒めます。老人の勧めで訪れた魏法師の指示に従い護符を貼ると、その後麗卿たちは現れなくなります。しかし 1 ヶ月ほど経ったある日、喬生は友人宅からの帰宅中に、金蓮に見つかり連れ去られてしまいます。老人は湖心寺の棺のなかに骸骨を抱いた喬生を見つけます。二人は葬り弔われましたが、雨の降る日には幽霊として現れます。その姿を見かけた人は重い病気にかかるので、恐れた人々は鉄冠道人の法術にすがります。結局、幽霊たちは道人に裁かれ厳しい罰を受け再び現れることはなかったという話です。

『伽婢子』は浅井了意作の仮名草子で 1666 年に刊行されました。怪異談が 68 話収められており、そのうち、16 話が『剪灯新話』から、2 話が続編『剪灯余話』から、そして 2 話が朝鮮小説の『金鰲新話』をもとにしています。『伽婢子』は江戸時代に怪異小説が流行するさきがけとなったという点で重要視されています。作品名の伽婢子は、幼児の形をした魔除けの人形を意味し、典拠となった『剪灯新話』の「牡丹灯記」に登場する「盟器の婢子」によっています。盟器は死者の副葬品、婢子は下女のことで、人形として死者とともに埋葬されたものです。

浅井了意は『剪灯新話』の「牡丹灯記」を翻案し、『伽婢子』巻3の三「牡丹灯籠」を書いています。これより後になりますが、『諸国百物語』(1677) にも「牡丹灯記」の話があります。巻4の五「牡丹堂、女の執心の事」は、原話を要約した短い話となっています。原話を変化させていますが、「唐土に牡丹堂と云ふ所あり。」と始まるように、中国の話として収録されています。また、『奇異雑談集』(1687) 巻6の一にも「女人、死後、男を棺の内へ引込みころす事」という話があります。そのなかに「牡丹灯記」と題して、原話に近い形で収録されています。「唐には、正月十五日の夜、家々の門に灯火を明かし、さまざまな灯籠をかけるので、人々がこれを見物するため明け方まで遊び歩く事があり、これは日本の盆のようである」と、中国の慣習を日本に置き換え説明を付しています。

一方の『伽婢子』は日本の物語として翻案されています。『伽婢子』の「牡丹灯籠」では、原話が正月十五夜の頃とあるのを、7月15日頃のお盆に時期を置き換えています。登場人物は荻原新之丞、場所は五条京極と変更しています。原話の展開にほぼ従っているのですが、新之丞の死後は異なっています。新之丞が幽霊になって現れることを嘆いた荻原の一族が、一千部の法華経を読み、1日頓写したお経を納め供養したところ、現れなくなったという話で終わります。原話にあった、道人の裁きは削除されていて、この結末部分が最も大きな変更といえます。原話では、幽霊はこの世に悪い祟りをもたらすもの、金蓮は妖怪として世の中を惑わしたとして地獄へ連れて行かれます。一方の『伽婢子』では、法華経の力によって幽霊は再び現れなくなっています。作者の浅井了意が浄土真宗の僧であったことによる置き換えです。

もう一つの変更は、原話にはない和歌を取り入れていることです。新之丞と女が出会い「また後の　ちぎりまでやは　にゐまくら　ただこよひこそ　かぎりなるらめ（今後の契りまでもとは言いませんので、今宵かぎりと思って新枕を交わしましょう）」、「ゆふなゆふな　まつとしいはば　こざらめや　かこちがほなる　かねことはなぞ（毎夜、待つとおっしゃってくだされればやってきます。なぜ諦めたようなことをおっしゃるのですか）」と和歌を交わします。二人が恋に落ちる様子を和歌で表現しています。これは、平安時代の物語文学に見られた形式を踏襲したものです。原話では、道人に裁かれる幽霊の供述書を見ると、「色欲の戒めを破り欲望に動かされ」、「色事にふけり」、「我を忘れて快楽」に耽ったことを反省しています。しかし、この部分が『伽婢子』にはありません。『伽婢子』の二人の仲を、心を通わせた恋としたのです。

「牡丹灯記」は怪談小説にとどまらず、落語や歌舞伎になるなど、日本では好まれた題材であったようです。一方、ベトナムの『伝奇漫録』では「木綿樹伝」という話が「牡丹灯記」と展開が似ていますが、朝鮮の『金鰲新話』には、この話が取り入れられておらず、国によって受け入れられた話の好みに違いが見られます。

『剪灯新話』から『金鰲新話』へ、そして『伽婢子』へ

では、朝鮮の『金鰲新話』が日本の『伽婢子』に影響を与えた様子を見てみましょう。『金鰲新話』は朝鮮最初の小説集で、漢文で書かれています。作者の金時習김시습は儒学者で文人でしたが、首陽大君（世祖）が王位を簒奪したことから出家し、慶州경주の金鰲山금오산に籠

もってこの小説を書きました。これが日本に伝わり1653年に和刻本が刊行され、江戸時代の怪談小説に影響を与えます。朝鮮では王を批判する内容が含まれているとして禁書となっていましたが、日本で刊行された木版本が1927年に朝鮮に紹介されました。朝鮮の小説であるにもかかわらず、本国では長い間陽の目を見ることがなかったのですが、日本では江戸時代の小説に翻案され流布された数奇な運命をたどった小説と言えます。

『伽婢子』の「歌を媒として契る」は、中国の小説が朝鮮の小説に影響を与え、さらに日本の小説として翻案されるという流れで生まれたものです。「歌を媒として契る」は原話『金鰲新話』の「李生窺牆伝」이생규장전を忠実に翻案しています。「李生窺牆伝」は『剪灯新話』の複数の話から影響を受けています。男が女性の幽霊と契る話ですが、背景を応仁の乱後の京都に変更したり、男女主人公がやり取りする漢詩を和歌に変更したりしています。

松都송도に住む李生이생（李家の書生）という青年が両班양반家の崔娘최랑（崔家の娘）と紆余曲折の末に結ばれますが、不幸にも崔娘は紅巾軍の高麗고려進撃の際、盗賊によって殺害されてしまいます。崔娘は幽霊となって李生と再会しますが、数年後崔娘は冥界へ戻り、李生は妻を慕い死んでしまったという話です。二人の出会いは、李生が崔娘の漢詩を聞いて、自分の腕前を披露しようと漢詩を書いた紙を崔娘宅の庭に投げ入れたことがきっかけです。「二十八字媒已就。藍橋何日遇神仙。（二十八字の詩がすでに私たちの媒をしてくれた。いつ藍橋で神仙のようなあなたに会えるのでしょう。）」とあります。この文章は『伽婢子』の「歌を媒に契る」では省かれていますが、題目にはなっているのです。

「歌を媒に契る」では、紅巾軍の高麗進撃は応仁の乱に置き換えられており、こちらも戦乱により荒れ果てた状況において起こった悲劇的な話となっています。戦乱が起き逃亡していた夫が京都に戻ると、親と妻の牧子が殺害されたことを知ります。悲嘆に暮れていると牧子が現れ、天帝が貞節の義に死んだことをあわれみ、ここに来ることができたと語ります。二人は夜通しで語り合いますが、夜が明けると牧子は影のように去ってしまいます。

一方の「李生窺牆伝」では、幽霊となって現れたあとも話が続きますが、「歌を媒として契る」では省略されています。幽霊となって現れた崔娘が貞節を守るため殺害されたことを語り、李生はまず両家の両親の遺骨を拾い集め埋葬します。この「遺骨」の扱いが独特なのです。数年後、崔娘は李生に黄泉の国に帰ると告げます。ともに行くと言う李生に、崔娘はあなたでなければ「誰能奠埋（誰がまつり埋葬することができたでしょう）」と言い、残って亡き両親への孝の礼節を尽くし、野にさらされている自分の遺骨を収拾してほしい頼み、去っていきます。「歌を媒として契る」では、原作の遺骨の埋葬や祭祀を重要視する儒教的な考え方が濃い部分を省き、あくまでも男女主人公の悲恋に焦点を合わせています。

中国裁判小説の伝来

江戸の裁判小説は中国の裁判説話集『棠陰比事』の影響を受けていました。「比事」とは類似する事件を並べて一対とすることです。『棠陰比事』は桂万栄Gui Wanrong編纂の裁判物語で、1211年に刊行されました。実際の裁判で参考になるよう、古今の優れた犯罪捜査、判決の事例を収めたものです。判例集ではありますが、中には推理を楽しめる話もあることから、推理小説を読むような興味から読まれることが多かったといわれます。棠陰とは、周Zhouの召伯Shaoboが南国を巡行し、甘棠の木陰で臨時に裁判を執り行ったことに因んでいます。

『棠陰比事』は、日本では鎌倉時代にすでに入っていて、当初は裁判の際に参考する実用的な書物であったのが、江戸時代には広く読み物として普及していきました。

『棠陰比事』の受容も朝鮮と関わりがあります。林羅山が朝鮮版の『棠陰比事』を書写し、別版の朝鮮本で校正し、門人たちの要請に応じて口誦しました。林羅山の注釈書に『棠陰比事諺解』があり、また、和刻本が元和年中（1615-23）に出版されます。

中国裁判小説の翻案

『本朝桜陰比事』は井原西鶴作の浮世草子で、1689年に刊行されました。書名の『棠陰比事』の棠を桜にかえ本朝を冠し、『棠陰比事』や京都所司代の板倉勝重・重宗父子による裁判の形式を取る『板倉政要』などの話をもとにした裁判小説集です。奉行が事件を鋭い推理で解決し、判決を下す話で、裁判小説の中では最初で最高のものと評価されています。

『棠陰比事』の影響があると見られる1話を例に見てみましょう。『棠陰比事』六「丙吉験子（老後の子ども）」をもとに、『本朝桜陰比事』巻1の二「曇りは晴るる影法師」が書かれています。ある金持ちの老人と後妻との間に男の子が生まれます。老人の死後、先妻の娘が財産を狙い、後妻が生んだ子が父の子でないと訴え出ます。親が年老いて生んだ子は寒がりであり影が映らないという説があり、試すとそのとおりであったため、かえって先妻の娘が誣告の刑に服したという話です。

『本朝桜陰比事』では、原話の簡略な記述を実在のモデルを想定して膨らませています。老人は材木問屋を営んでおり、80余歳になっても財産を相続せずにいましたが、ふとしたことで隠居します。数年経つと下女のうちとりわけ醜い女がこの老人の子を妊娠したと言います。老人が認めなかったため女が奉行に訴えると、その子の影が映るかを確認することになり、ついに老人も世間体を恥じて隠していたと自白をします。

老人のモデルは京の豪商・土木事業者・貿易商であった角倉家の人物父子であるともいわれています。特に角倉素庵は、儒学者・書家でもあり、林羅山に『棠陰比事』の口誦をもとめていた人物ということから、何かしら繋がりがあったのかもしれません。

原話には見られず「曇りは晴るる影法師」に書き加えられた点はいくつかありますが、注目されるのは、老人がモデルの想定される具体的な人物であったり、下女が御前に訴えると「明十四日に」出頭することを命じられるなど公事日が言及されたりしていることです。いかにも、当時、実際に起こっていたかのようなリアリティーに溢れています。人情の機微をうがち、当時の世相を反映した浮世草子に書き替えられている点が『棠陰比事』の受容の特徴といえるでしょう。裁判の参考にするという『棠陰比事』の実用的な用途が、翻案をより容易にしたものとも考えられます。

このように、江戸時代における中国小説の流入は、翻訳・紹介だけではなく、当時の日本の読者に受け入れやすい形として翻案されて享受されました。そこには朝鮮における中国小説の受容が介入していたことも、この時代の〈文学交流〉の特徴といえるでしょう。

＝さらに深く学ぶために＝

・早川智美『金鰲新話―訳注と研究』和泉書院、2009
・杉本好伸『日本推理小説の源流　『本朝桜陰比事』上・下』清文堂、2009

（韓京子）

近代〔19、20 世紀前半〕の〈文学交流〉(1)

前近代から近代へ

18 世紀後半、イギリス発の動力革命（紡績機・蒸気機関の発明）によって、経済・政治・社会・文化の全てに亙る変革が起き近代社会が出現しました。日本も、19 世紀後半に始まる工業化によって近代社会へと移行します。この変革によって、〈文学交流〉のあり方も大きく変わります。

前近代の文献に残る〈文学交流〉の範囲は限られていました。日本では「東アジア世界」がその範囲でした。中世には、博多湾一帯が「ユーラシア通商圏」が作る海上交通路の東端のターミナルとなり、また「大航海時代」のヨーロッパからの宣教師の渡来もありました。しかし、17 世紀前半の、江戸幕府によるキリスト教全面禁止、日本人の海外渡航禁止により、海外との交流は朝鮮王朝とオランダ、長崎での「唐人貿易」、「異国」である琉球・蝦夷地（北海道のアイヌの居住地）に限られました。また、相互に情報量が少なく、イメージで相手を判断しがちでした。交流の方向も、「東アジア世界」の中心である中国から周辺諸国へという流れが強く、逆方向の流れや周辺諸国間の交流はあっても、これに比べれば弱いものでした。ただし、文献に残らない人々の移動によって、「東アジア世界」内、さらに北・東南・南・中央・西アジア、その西方のヨーロッパとの間で、口伝えによる神話・伝説・説話の交流がありました。

近代の〈文学交流〉では、その範囲が世界的規模に拡大します。交通手段の発達によって人の交流が飛躍的に増え、またメディア技術の革新が起こり、相互に交わされる情報量も大規模になりました。とはいえ、交流の方向は、〈近代化〉を主導する西ヨーロッパ・アメリカ合衆国から諸国へという流れが中心です。ただし、前近代とは異なり、諸国間での交流の機会も増加します（たとえば、日本・エチオピア間の政治的交流もありました）。翻訳が〈文学交流〉の主な担い手となりました。そして、〈近代化〉は諸国内・諸国間でさまざまな葛藤を引き起こし、その最も先鋭的な現れとして、組織的な戦争が頻繁に勃発します。〈近代化〉と伝統文化の衝突を始め、貧困、差別、戦争なども〈文学交流〉の重要なテーマとなりました。

日本近代の〈文学交流〉においては、①日本とヨーロッパ（ロシアも含む）・アメリカ合衆国との人・書物の交流と翻訳によって新たな文学が生み出され、②日本と中国、台湾、朝鮮半島との前近代の関係が再編され、③日本と、中東欧、北欧、インド、東南アジア、南米、アフリカ、中東などとの新しい関係も生じました。この項では、①②に絞って考察します。

キリスト教の再来

1853 年に、マシュー・C・ペリー Matthew Calbraith Perry 率いるアメリカ合衆国艦隊が、大西洋・インド洋・中国・琉球を経由して浦賀に入港し、江戸幕府に開港を要求しました。江戸幕府は、翌年に再度来航したペリーと日米和親条約を結び、鎖国政策を転換します。アメリカ合衆国は、日本に開港させることで、太平洋での捕鯨の補給基地としようとしました。この後、アメリカ合衆国は 1867 年にロシアからアラスカを購入し、1894 年にハワイ王国を終焉させてハワイ共和国を成立させ、1898 年にはこれを併合、同年にはスペインとの戦争に勝利してグァム島とフィリピン諸島を領土としました。これらに表れているように、ペリーの派遣は、アメリカ合衆国の太平洋進出の一環として行われました（増田義郎による）。

1858 年に日米修好通商条約が結ばれ、江戸幕府はアメリカ人居留地での信教の自由と礼拝を保障し、1859年から宣教師の来日が始まります。そして、明治維新後も踏襲されたキリスト教禁制も、1873年に外国の使節からの抗議によって廃止されました。

アメリカ合衆国のプロテスタントの宣教師を中心とする、日本人への宣教活動は、キリスト教禁制の廃止の前から始まっていました。アメリカ人宣教師のジョナサン・ゴーブル Jonathan Goble が最初の日本語訳聖書『摩太福音書』を1871年に出版し、翌年には聖書翻訳委員会設置のための宣教師会議で最初の讃美歌翻訳が紹介されます。プロテスタントの宣教師たちは西洋文明を日本に伝えるという強い使命感を持っていました（高橋昌郎による）。一方、日本の知識人たちも、明治維新で敗れた側の人々を中心に、積極的にキリスト教に入信しました。キリスト教を新しい時代に対抗するための精神的な拠りどころにしようとしたのです。

松本ゑい子による讃美歌の翻訳と制作

1872年に紹介された最初の翻訳讃美歌の日本語は、歌のことばとしては生硬なものでした。以後、“日本語らしい”讃美歌の翻訳と制作がめざされます。その中で、画期的な意義を持ったのがアメリカ人でメソジスト派宣教師のジョン・C・デヴィソン John Carrol Davison が編集した『譜附基督教聖歌集』（1884）です。日本人になじみやすい七五調で、柔らかでありながら格調も感じさせる古典語を多く利用した讃美歌は、日本語讃美歌の基本モデルとなりました。

『譜附基督教聖歌集』に収められた讃美歌の翻訳と制作には、松本ゑい子〔結婚後、永井姓〕（1866-1928）が深く関わっていました。この時、松本は18、9歳でした。松本の父・貞樹は富農で、和学・漢学を研究し、学塾も開いていました。将軍家が手放した『万葉集』や『古今和歌集』も所有していたといいます。ゑい子は幼少期から父に日本古典・中国古典の厳しい教育を受け、和歌を詠むことにすぐれていました。9歳で女性宣教師のドーラ・E・スクーンメーカー Dora E. Schoonmaker が創設した救世学校（後に「海岸女学校」と改称）の寄宿生となり、やがて生徒でありながら、国語と漢文の教師を兼ねるようになりました。この時、松本はデヴィソンの讃美歌の翻訳と制作の助手を務めたのです。その苦心を、松本は後年、夫の元に語っています。原詩の調子の高いところには日本語も強いことばを、低いところには弱いことばを用い、英語の歌句の長さに合うように日本語を調節し、原詩の感情に合う日本語を選びました。

> 私が一句一節を得れば私が日本語で誦ひ、デビソンさんが直ぐ傍の楽器に合せて之を試みるのでした。斯くして、数句を得て、一つの歌が出来上がつた時、更に之を誦ひ且つ楽器に合せて、原歌の真意とその歌調とに合ふか否かためして見るのでした。そして尚不満足の点があれば又やり返して見るのです。　（永井元編『永井ゑい子詩文』秀英舎、1929）

このような英語や歌調との格闘を経て生み出された日本語讃美歌の代表が「第百五十」です。

一	あまつましみづ	ながれきて	（天上の清らかな水が流れてきて）
	よにもわれにも	あふれけり	（世にも私にもいっぱいになってこぼれました）
	ながくかはける	わがたまに	（長く渇いていた私の魂に）
	よのみづいかで	たりぬべき	（この世の水で満ち足りることはありません）
二	あまつましみづ	のみてこそ	（天上の清らかな水を飲むならば）
	わがたまはまた	かはかざれ	（私の魂は渇くことはありません）
	きみのめぐみは	われにこそ	（あなたさまのめぐみは、私に）
	つきぬいづみと	わきいづれ	（尽きることのない泉として湧き出しています）

三　あまつましみづ　貴ときかな　　（天上の清らかな水はなんと尊いことでしょう）
　　たゆるせもなく　かぎりない　　（水の流れがとまる浅瀬もなく、限りない）
　　そのましみづを　いくちよも　　（その清らかな水を幾千年も）
　　くみてたのしく　われはのまん　（汲んで私は飲みましょう）

この讃美歌は、スコットランド系アメリカ人のジョン・ヒュー・マクノートン John Hugh McNaughton（1829-1901）作詞作曲の “Love at Home” の曲に、松本が、『ヨハネによる福音書』の、イエスの与える水を飲む者は決して渇くことながない、という一節を踏まえて、新たに歌詞を付けたものです。「天つ水」も「真清水」も『万葉集』に見えることばです。母音・子音を巧みに配置しながら、清浄でみずみずしい、帰依の心を表現しています。

キリスト教に入信した国木田独歩、島崎藤村は、それぞれこの讃美歌の神への〈愛〉を、若々しく清浄な〈恋〉に変換した抒情詩を制作しました（独歩「恋の清水」宮崎湖処子編『抒情詩』民友社、1897、藤村「若水」『若菜集』春陽堂、1897）。日本近代の抒情詩の出発を告げる『抒情詩』、『若菜集』に、松本の讃美歌が、形式・ことば・調べにおいて大きな影響を与えたことが窺えます。

近代日本と中国

19 世紀において、日本と中国の関係は、朝鮮半島をめぐる対立によって、前近代とは大きく変化します。朝鮮王朝は清 Qing の成立後、朝貢使を派遣し清を宗主国としてきました。19 世紀前半にヨーロッパやアメリカ合衆国の勢力が及ぶと、徹底した鎖国攘夷政策をとり、フランス、次いでアメリカ合衆国の軍隊を撃退しました。明治政府は、朝鮮半島をヨーロッパやアメリカ合衆国が手を出せぬ地域とするために、朝鮮王朝に開国を迫り、1876 年に日朝修好条規を結ばせます。清の宗主権を否定するこの条規によって、日清の緊張が高まり、甲午農民戦争（東学農民革命 동학농민혁명）鎮圧のため朝鮮王朝から派遣要請された清軍と、これに乗じて進出した日本軍との間で戦闘が起こり、日清戦争（甲午戦争 Jiawuzhanzheng。1894-95）が勃発しました。

日清戦争の勝利によって、日本人の中国観は、「東アジア世界」の“文明”の中心から、〈近代化〉の遅れた国へと変化します。一方、敗戦に衝撃を受けた清の知識人たちの間では〈近代化〉のために、日本留学の機運が高まりました。日本も、中国での勢力範囲設定を進めるヨーロッパ列強に反発し、積極的に清の留学生の受け入れを進めました。1896 年、清から日本への本格的留学生派遣が始まります。留学生たちは日本で、親近感と傲慢さがない交ぜとなった日本人の清国観と、中国の知識人としてのプライドの高さによる行き違いに直面しました（厳安生による）。その中から、文学に目覚めてゆく留学生たちが現れました。

魯迅「藤野先生」における〈文学交流〉

魯迅 Lu Xun（周樹人 Zhou Shuren 1881-1936）もその留学生の一人です。“自然淘汰”による中国人絶滅への危機感から医学に関心を持ち、日本に留学しました（1902-09）。この間、仙台医学専門学校で医学を学びますが（1904-06）、ここで肉体の変革よりも精神の変換こそが必要であることを感じ、文学へと道を変えました。帰国後、1910 年代後半から、北京、次いで上海で、中国社会の精神状況を抉り出す小説と、権力に抵抗する雑感文を執筆し続けました。

魯迅の転換点となる、仙台での体験に基づく小説に「藤野先生」があります。この小説が完成した 1926 年の時期に、魯迅は北京女子師範学校の学生運動（封建的な校長の罷免要求と、要求した学生の除籍処分への抗議）を支援し（1925）、またその文学による影響力ゆえに段祺瑞 Duan

Quiri 政府から逮捕すべき人物とされていました（1926）。「藤野先生」（以下、「先生」）のモデルは、仙台医学専門学校教授で解剖学専門の藤野厳九郎（1874-1945）です。「僕」は、「先生」の親身の指導を受ける一方、日本人学生による差別事件に遭遇、さらに細菌学の授業終了後に、ロシアのスパイとなった中国人が日本軍に銃殺される場面を写した日露戦争の幻灯（スライド）を見ることになります。取り囲んで見ているだけの、幻灯の中の中国人、講義室で「万歳」と叫ぶ日本人学生――、その中で自分がたった一人であることを痛切に意識し仙台を去ります。

この小説での「僕」と「先生」の関係は特殊です。「先生」は、医学を無条件に信頼していて、医学以外のものには関心がありません。服装にも無頓着で、「僕」に無遠慮に纏足 Chanzu（幼時より布を巻いて女性の足を小さくする中国の風習）の骨の状態を尋ねたりするエキセントリックな人物です。「僕」への親身の指導も、近代医学を広めてほしいという熱意によります。「僕」と「先生」の間には、相互的な会話は成り立っていません。しかし、北京の仮住まいの壁にかけられた「先生」の写真を見て、「僕」はこのように思います（藤井省三訳）。

> 夜中に疲れて、怠け心が出てくるたびに、仰向いて明かりの中に照らし出される先生の痩せた色黒い顔をひと目見ると、今にも抑揚のある大きい声で話し出さんばかりのようすで、僕はハッと良心を取り戻し、勇気も増して、そこでタバコに火を付けては、再び「正人君子」の輩からおおいに嫌われ憎まれる文章を書き出すのだ。（魯迅「藤野先生」、原文は中国語）

常識を突き抜けた「先生」が、自分を疑うことのない為政者や進歩主義者との、「僕」の孤独な闘いに勇気を与えます。これも〈文学交流〉の一つの形であるのかもしれません。

「方法としてのアジア」

このような魯迅に強い影響を受けたのが、中国文学者・評論家の竹内好（1910-77）です。竹内は太平洋戦争下執筆の『魯迅』（日本評論社、1943）で、「藤野先生」の幻灯事件を、同胞を憐れまなければならぬ自分自身を憐れんだ出来事と見（戦後によりわかりやすく、弱者であることから逃れることのできぬ自分を幻灯の画面に見たと説明（『魯迅入門』東洋書館、1953））、「絶望に絶望した人」である魯迅は、「何者にも頼らず、何者も自己の支えとしないことによって、すべてを我がものに」する文学者でなければならなかったと捉えました。何者にも頼らぬ魯迅の姿勢は、ほとんどの文学者が戦争遂行に協力するなか、竹内に戦争から距離を置く勇気を与えました。

敗戦後、竹内は「東洋の力が西洋の生み出した普遍的な価値をより高めるために西洋を変革する」という大きな構想を持った思想を提示し、これを「方法としてのアジア」と名付けました。西洋に追随もせず、しかしこれを否定もしない立場は、魯迅の姿勢に学んだものに外なりません。

＝さらに深く学ぶために＝
・増田義郎『太平洋―開かれた海の歴史』集英社新書、集英社、2004
・高橋昌郎『明治のキリスト教』吉川弘文館、2003
・小林瑞乃「永井英子の信仰・愛・人生―自分を貫くということ」『青山学院大学ジェンダー研究センター年報』第1号、2022・3
・戸田義雄、永藤武編著『日本人と讃美歌』桜楓社、1978
・厳安生『日本留学生精神史―近代中国知識人の軌跡』岩波書店、2003
・魯迅『故郷／阿Q正伝』（藤井省三訳）、光文社古典新訳文庫、光文社、2009

（小松靖彦）

近代〔19、20 世紀前半〕の〈文学交流〉（2）

西洋文学の伝来と翻案

19 世紀に入り、西洋から新たな童話集が日本に伝えられます。それらは原文に即して忠実に日本語に翻訳されただけではなく、翻案という形で受容されることもありました。

「シンデレラ」の話を例にあげてみましょう。ペロー童話（フランスの詩人で作家のシャルル・ペロー Charles Perrault（1628-1703）の童話集）・グリム Grimms 童話の「シンデレラ」は 1886 年に「郵便報知新聞」に「新貞羅」と紹介されました。1900 年には、坪内逍遥が翻案したものが教科書『国語読本高等小学用』に「おしん物語」という題名で収録されています。「おしん」とは苦境を忍ぶ姿から名付けられたものです。さらに、魔法使いは弁天に、シンデレラを探す手がかりはガラスの靴から扇へと変更されています。1929 年 8 月に宝塚少女歌劇上演の際には、喜劇とダンス本位のレヴュウに仕立てられ、原話とは違ったものに大胆に作り変えられました。その後も、都度翻訳される中で、当時の社会における望ましい女性像が投影されていきます。

グリム童話『死神の名付け親』から落語『死神』へ

グリム童話はドイツのグリム Grimm 兄弟（兄ヤーコプ Jacob と弟ヴィルヘルム Wilhelm）が収集し編成した童話集です。原題は『子どもと家庭のための昔話集』*Kinder-und Hausmärchen* です。初版は 1812 ～ 22 年に刊行されました。決定版である第 7 版（1857）には魔法童話、動物童話、笑話、ほら話、聖徒伝など 210 編が収められ、なかでも「白雪姫」、「赤ずきん」、「ヘンゼルとグレーテル」などがよく知られています。最初の日本語訳は 1887 年に刊行された菅了法による『西洋故事神仙叢話』（集成社）です。ただし、抄訳です。

グリム童話「死神の名付け親」を落語『死神』としてリメイクした落語家の初代三遊亭円朝（1839–1900）は、人情噺や『真景累ヶ淵』、『怪談牡丹灯籠』など怪談噺を得意としていましたが、西洋の話を翻案した『西洋人情噺英国孝子 ジョージスミス之伝』、『名人長二（次）』、『名人くらべ（錦の舞衣）』などの作品もあります。

落語『死神』は、円朝がイタリアオペラ「靴直しクリスピノ」“Crispino e la comare” にヒントを得たという説や福地桜痴がグリムの原話やイタリアオペラの話を円朝に教えたという説があります。円朝の落語『名人くらべ（錦の舞衣）』（1891）がフランス『ラ・トスカ』*La Tosca*（1887）の翻案であり、福地桜痴にこの物語を教わったとされていることから、後者の可能性が高いとも見られています。1862 年に遣欧使節がグリムを訪問した際、使節の通訳を福沢諭吉と福地桜痴がしており、この時にグリム童話「死神の名付け親」を知ったのではないかということです。

「死神の名付け親」は、44 番目の物語（KHM44:*Der Gevatter Tod*）です。貧乏な男に子が生まれ、名付け親（代父）を死神に頼みます。それは死神が人々に平等に死をもたらすという理由でした。死神はこの息子を医者にすると約束します。死神はこの息子に、病人の頭の方に自分が立っていれば薬草で治療できると言い、足の方に立っていれば治る見込みはないと教えます。ある日、息子が病気になった王を訪ねると、死神は足の方に立っていました。息子は王を助けようと王の頭と足の位置を替えます。このことで息子は死神から次に従わなかったら命はないと脅されます。それから間もなくお姫様が病気になり、息子はまたもや同様の手口で助けます。怒った死神に息子は地下の洞穴に連れて行かれます。そこでは人間の命を表すろうそくの火が一面に灯っていました。息子は自分の火が今にも消えそうなので、新しい火をつけてほしいと頼みますが、死神はわざと火を消し、息子は死んでしまうという話です。

死神が名付け親になる話は、早くは1330年頃のドイツに存在しており、ヨーロッパの広い地域で類話が見られます。日本では名付け親に馴染みがないため、落語『死神』では、自殺を図る男を死神が助けるという設定になっています。金策に詰まった男が自殺を図るところに死神が現れ、金持ちになる方法を教えると言って、医者になるよう勧めます。病人の寿命について、原作と同じ方法を教えます。サゲの部分は演者によってさまざまな異なる展開になっています。ろうそくの灯を移すことに成功するもの、あるいは吹き消してしまうものもあります。

落語は、①神と悪魔が登場しない、②死神は「名付け親」ではなく相談相手、③薬草ではなく呪文を唱える、④最初の病人が「王」から「お店のお嬢さん」に、⑤二番目の病人が「姫」から「江戸でも指折りの大家」に、⑥謝礼が「姫と結婚し、王位継承」することから「三千両」の褒美に変更されるというように、江戸の庶民の境遇に合わせた話に作り変えられています。

なお、1989年10月に放映された「まんが日本昔ばなし」では、山形に伝わる民話として「死神」が取り上げられています。これは落語が山形県の語り部によって民話のように語られたものといわれています。グリム童話から落語へ、そして民話へと姿を変え、昔から日本に伝わる話として享受されていたのです。

モーパッサンの小説『親殺し』から円朝の落語『名人長二』へ

円朝の翻案物の『名人長二』はフランスの小説をもとにしています。馬場孤蝶は、『名人長二』を読んで、モーパッサン Guy de Maupassant の『親殺』*Un Parricide* の翻案であることを発見します。孤蝶は明治30年代にモーパッサンの「小説」Le Roman を日本で最初に翻訳していました。『親殺し』は、有島武郎・生馬の父・有島武が横浜税関長を努めていた頃、武・幸子夫妻にフランス語を教えていた人物から聞いた話を、幸子が翻訳し円朝に伝えたものでした。それを円朝が実在人物である知り合いの指物師、長二を主人公に据え『名人長二』を作り上げたのです。『名人長二』は口演の速記ではなく、円朝が平易な言文一致体で著述したもので、「中央新聞」(1895.4.28 ～ 6.15)に掲載されました。人情噺に分類され、円朝晩年の代表作です。

『親殺し』は、1882年「ル・ゴーロワ」*Le Gaulois* 紙に『人殺し』*L'Assassin* として発表されましたが、1884年「ジル・ブラース」*Gil Blas* 紙に再録される際に改題されます。日本では、1910年『新潮』9月号に孤蝶の翻訳が掲載されました。あらすじは、次のとおりです。老夫婦の死体が発見され、指物師ジョルジュが自首します。実は、彼はこの老夫婦の実子でした。裁判の場面から始まり、弁護士は狂気の沙汰であるとジョルジュを弁護しますが、ジョルジュは「不義の子として捨てられ、正当な権利としての復讐」であったと自白します。「もし我々が裁判官だったら、この親殺しを、一体どう裁いたらいいだろうか」という文章で結ばれます。

一方の『名人長二』では、円朝が大阪浪花座から戻る際に人力車から落ちて怪我をし、療養で訪れた湯河原温泉で長二に関する話を聞いたことから、この話が出来上がったのだと語り始めます。長二を贔屓にする南町奉行の筒井和泉守、儒者林大学頭、将軍徳川家斉が登場し、大岡裁き的結末を見せるという展開となっています。あらすじは次のとおりです。指物師の長二は、優れた腕と名人気質で知られていました。ある時長二は、自分が捨て子であり、それを亡き長左衛門夫婦が育ててくれたことを知り、谷中の天竜院で養父母の法事を営みます。その時知り合った亀甲屋幸兵衛・お柳夫婦の贔屓を受けますが、やがてこの幸兵衛夫婦が実の親であることを知ります。話し合いをしますが話がもつれて争い、長二は二人を殺してしまいます。筒井和泉守は、長二を助命しようと苦心するうち、長二の実父はお柳の前夫であり、お柳と幸兵衛が当時密通していたことが判明します。幕府の重臣、林大学頭が、『礼記』の一節を都合よく長二に適用し、長二の殺人は実父の仇討をしたことになると判定して長二は許されます。長二は和泉守の腰元の島路と結婚し、亀甲屋を相続して半之助と名乗るという結末を持ちます。

短編小説の原話から長編の落語への書き換えにより、判決の場面や、実の親か否かなどを明らかにする場面が新たに設けられるなど、翻案による違いが多数見られます。ただ原話の『親殺し』では、夫婦が子を捨てたことについて、「利己的な快楽にふけって」思いがけなく生まれた「子どもを抹殺」するという「もっとも非人間的な、最も卑劣な、最も残虐な行為」をしたものと、子の立場から「恥ずべき捨て子」をした罪が強調して語られています。さらに、村の子たちに「私生児」と呼ばれ、「私生児という不名誉」を被り、「捨て子でさえなければまともで優れた人間」になれたはずだと、怒りと恨みを吐露する言葉が繰り返し登場します。このようにモーパッサン『親殺し』は、「私生児」の問題を浮き彫りにし、社会批判を行っています。しかし、円朝の『名人長二』では、この問題に焦点が当てられてはいません。

円朝の『名人長二』の特徴は、長二を、名人であり親孝行者であり、職人気質の者であることが詳しく描写していることです。師匠の清兵衛が、長二の「親孝行の次第から平常の心がけと行為の善い所を委しく書面に認めて、お慈悲願」しなければいけないと語るなど、周囲の人々が、長二が罪を逃れる妙案を探すために尽力します。その結果、大岡裁き的な裁断が下され、長二が助命される結末となっており、人情を主題とする人情噺に作り上げられているのです。

ペロー童話・グリム童話『赤ずきん』の日本語翻訳

「赤ずきん」は、ペロー童話・グリム童話に収録されています。ドイツ語・フランス語版ではなく、英語版から翻訳され、子ども向け童話集や英語教育の教材などとして読まれたようです。

特に興味深いのは、『英語の友』に 1910 年 8 月から 12 月まで「赤い頭巾の小さな子」“Little Red Riding-Hood” という題名で連載されていた話には、原話にはない父親が登場し、父と母と子のいる模範的な家庭として描かれている点です。父親は家族の中心で、妻や娘を保護するものだという考え方が反映されているといわれています。また、「赤ずきん」は、子ども向けの童話として翻訳される際に、赤ずきんが狼に食われる前に猟師に助けられるというように、子どもに配慮した書き換えも見られます。童話は翻訳された時代によって、また、想定される読者層によって、随所に脚色が加えられ享受されていました。

先に言及した「シンデレラ」も同様です。「シンデレラ」の日本における受容の変遷は、舛屋仁奈の研究が詳細ですが、シンデレラ自身については「貞淑」、「従順」、「忠孝の徳」、「礼儀」などの要素がつけ加えられ、シンデレラをいじめる役割も、継母ではなく主として継姉たちになるなど大きく改変されています。明治初期には、家制度によって女性の地位が低く、離婚率が非常に高く、多くの継母が家庭に存在していたため、「悪い継母」の存在は、児童の教育的な読物としてはふさわしくないとされ、継姉たちに悪役が担わされたものといわれています。

大正期には原典に忠実な翻訳が増え、特徴としてはシンデレラが結婚するまで「少女」として「おとなしく、素直」であるべきだということが、繰り返し強調されています。昭和初期になると、「美＝善」と「醜＝悪」といった考え方が見られるようになります。挿絵としても、「かわいそうな娘」を美しく、「意地悪な娘」を醜くし、対照的に表現しています。戦後の翻訳では、シンデレラは結婚後、王子の両親に優しく仕えたという話や自分の両親を大切にしたという話もあり、結婚は二人だけの話ではなく家族を視野に入れたものとして意識されていることがうかがえます。このように翻訳の変遷から、当時の社会の世相や風潮を読み取ることもできます。

西洋の童話の日本語訳から朝鮮語訳へ

日本における童話の翻訳は、植民地朝鮮における童話の翻訳出版にも影響を与えました。朝鮮における外国の童話の紹介は日本語版からの翻訳によって行われていたのです。

「赤ずきん」は雑誌『東明』동명にはじめて紹介されます。グリム童話の物語は1922年1月14日から1923年6月3日まで掲載されていました。朝鮮におけるグリム童話の翻訳は、明治・大正期に日本留学していた崔南善최남선、方定煥방정환、呉天錫오천석、田栄澤전영택などによって行われていました。呉天錫は青山学院中等部、田栄澤は青山学院高等部人文科と神学部を卒業しています。呉天錫は韓国における最初の翻訳童話集『금방울』（金の鈴）を1921年に出版しています。キリスト教的な色彩が濃く現れているのが特徴です。1925年にグリム童話を翻訳出版したと言われていますが、残念ながら現存していません。

『東明』のグリム童話の底本は、当時日本で最も大衆的であったと言われる中島孤島訳『グリム御伽噺』（冨山房、1916）で、挿絵も同書の岡本帰一のものやドイツの挿絵画家のものをいくつか取り入れています。『東明』のグリム童話にはドイツ語の原典にはない擬声語・擬態語が頻繁に使用されているという点も、日本語からの影響ではないかといわれています。

「赤ずきん」を翻訳したのが誰であるのかは未詳ですが、創刊者である崔南善であろうと推測されています。「赤ずきん」は翻訳というより翻案というべく、底本にない内容の変更箇所がたくさん見られます。動物も狼ではなく、きつねに変更されています。赤ずきんは両親と祖母と暮らしていて、この日は、叔父の家を訪れている祖母にお菓子を届けに行ったという設定になっています。韓国語の翻訳では、祖母が一人暮らしではない設定にしていたり、赤ずきんの叔父夫婦を登場させたり、赤ずきんを救い出すのは猟師ではなく、赤ずきんを心配して銃を持って弟の家にかけつける父親にしたりしています。日本語訳を底本にしていますが、朝鮮の家庭の実情に合わせた脚色が見られる翻案となっているのです。

最後に、人的交流による童話の伝播という点では、児童文学者の巌谷小波や久留島武彦による口演童話活動も見逃せません。彼らは植民地朝鮮、台湾において口演童話活動を行い、当地に童話を普及させ、さらに児童文学の誕生にも貢献しています。また彼らが帰国後に植民地朝鮮、台湾に関する童話や物語を創作したことも、交流の産物として注目する必要があります。

日本における童話の受容が時代の変化に沿ってどのように変遷したのか、さらに海外（韓国・台湾）における童話の受容にどう影響を与えたかなども、この時期の〈文学交流〉を考える上で重要だといえるでしょう。

＝さらに深く学ぶために＝

・富田仁『フランス小説移入考』東京書籍、1981
・舛屋仁奈「日本におけるシンデレラの改変」『日本ジェンダー研究』第6号、2003・8
・奈倉洋子『日本の近代化とグリム童話』世界思想社、2005

（韓京子）

Ⅲ　翻訳という〈文学交流〉

翻訳の理論

翻訳の実践と理論

すべてのコミュニケーションは翻訳の一形態であり、「いかなる言語学的記号もその意味は、先にある何等かの代替的記号への翻訳である」とローマン・ヤコブソン Roman Jakobson（1896-1982）は述べています［ピム 2020:181］。他の言語のことば（記号）へ翻訳する場合、2つの異なるコードによる2つの等価のメッセージを解読していることになります。「翻訳」というと外国語の翻訳が思い浮かびますが、ヤコブソンによれば、言語間の翻訳の他、言語内（言い換え）と記号間（たとえば、絵画や標識への移し換え）の翻訳もあります。世界の「翻訳」ということばを考えれば、translate のように空間的な国境を超えるものもあれば、ベンガル語の anuvad（後につく）や日本語の「翻（ひるがえ）す」のように時間的な伝達を示すことばもあります。広い意味で「翻訳」は、言語的、物理的、歴史的に、ある空間から他の空間へ移るプロセスを指しています。編集なども翻訳として考える必要があります。

1974年にジェームズ・ホームズ James Holmes（1924-86）が翻訳研究という新しい分野を「トランスレーション・スタディーズ」Translation Studies と名づけ、「翻訳という現象と翻訳者の周りに集まっている諸問題」を共同で検討する学際的なユートピアと説明しました。分野全体を、①「純粋な研究」、つまりⒶ実践の「記述的な研究」とⒷ「理論的な研究」、そして②翻訳支援や批判を考える「応用部門」に三分しました。部分的な理論として地域別（ロマンス諸語からゲルマン諸語へ）、ジャンル別（文学や聖典）、問題別（比喩、ユーモア）などがある他、あらゆる翻訳を説こうとする一般的な理論もあると論じます。もちろん、翻訳者も独自の翻訳観を持っているでしょうが、その翻訳観を論理的に表現すれば、十分翻訳の「理論」になるということです。つまり、実践と理論は表裏一体なのです。

三ツ木道夫（みつぎみちお）（1953-）［2008:243］によれば、日本の翻訳研究は、(1)「英文翻訳を中心にした翻訳の技術論」、(2)「比較文学研究者による、欧米文化受容に焦点を当てた翻訳文化論」、(3)「いわゆる誤訳・悪訳を告発する翻訳批評」、(4)「翻訳家自身の苦労話なり一家言なりを含む翻訳エッセイ」に集中し、理論や思想を目的とする研究は比較的に少ないとされます。三ツ木は、共同的・学際的な研究の必要性を強調しています。一方、ホームズの論文を2008年に振り返ったアンドリュー・チェスタマン Andrew Chesterman（1946-）は、翻訳者の役割やイデオロギー、翻訳倫理の検証を含む「翻訳者研究」の必要性を主張しました。共同的・学際的な研究と「翻訳者研究」は、さらなる交流によって互いの欠点を補う効果があるでしょう。

翻訳研究のアプローチ

翻訳はたいてい「等価」という概念に基づいています。しかし、「りんご」と apple は等価であると言っても、必ずしも簡単な問題ではありません。有名な例として、ドナルド・キーン Donald Keene（1922-2019）が1956年に『斜陽（しゃよう）』を英訳した際、太宰治（だざいおさむ）が描いた「白い足袋（たび）」を white gloves（白い手袋）と言い換えたことが挙げられます。ある意味で、この意訳は直訳より意味（心）を英語圏の読者に伝えています。というのは、その足袋は登場人物の人格を表す比喩（メタフォー）だからです。

	「直訳」	「意訳」
キケロ	直訳主義の解釈者の如く	演者の如く
シュライアマハー	異化作用	同化作用
ナイダ	形式的	動的
ニューマーク	意味重視の	コミュニケーション重視の
レヴィー	反・幻想的	幻想的
ハウス	顕在化	潜在化
ノード	記録としての	道具としての
トゥーリー	適切さ	受容可能性
ヴェヌティ	抵抗する	流暢な

【表 1】方向的等価の二項対立性（ピム 2010:55 による）

翻訳の理論家の翻訳の方法は、「直訳」と「意訳」（**【表1】**）の二項対立に分けられます。それぞれの諸理論のなか、フリードリヒ・シュライアマハー Friedrich Schleiermacher（1768-1834）の次の言及は、「直訳」を薦める早い例として頻繁に引用されます。「著者をできるだけそっとしておいて読者の方を著者にむけて動かす、あるいは読者の方をできるだけそっとしておいて著者を読者に向けて動かす、このどちらかしかありません」［三ッ木 2008:38］。なお、ヴォルター・ベンヤミン Walter Benjamin（1892-1940）の著作『翻訳者の使命』に引用されるルドルフ・パンヴィッツ Rudolf Pannwitz（1881-1969）が同様に「インド、ギリシア、イギリスのものをドイツ化しようとする」翻訳を批判し、ドイツ語訳される文言はむしろ「インド化、ギリシア化、イギリス化」されるべきだと言います。また近年、ローレンス・ヴェヌティ Lawrence Venuti（1953-）は起点テキスト（原文）の言語と文化を結果的に消す「読みやすい翻訳」の倫理に対する注意を促しています。目標テキスト（翻訳）は不自然でも起点テキスト（原文）を反映すべきだとヴェヌティは論じるのです。ただ、このような文学的翻訳はビジネスや技術翻訳には不適切ですので、フェルメール Hans Vermeer（1930-2010）［Venuti 2021:219-230］らは読者層や翻訳の目標 Skopos に依拠した「スコポス理論」による翻訳を提唱しました。たとえば、古典文学の全集に見えるような「学術的翻訳」の特性は、特定の読者を想定したスコポスの例として考えられます。

さらに複雑なのは、「自然的等価」をもつことば（りんご）の他、「方向的等価」しかもたないことばもあります。たとえば、brother は文脈によって兄、お兄さん、弟、兄弟にあたります。ジャン＝ポール・ヴィネイ Jean-Paul Vinay（1910-99）とジャン・ダルベルネ Jean Darbelnet（1904-90）［Venuti 2000:84-93、ピム 2010:23 参照］は、翻訳者が利用できる方略を直訳から意訳の順に挙げています（**【表2】**）。

キーンの『白い手袋』の訳は**【表2】**の⑥対応・⑦適合に当たりますが、現在では原文の意味から離れすぎているという批判があります。とはいえ、⑦適合のような翻訳方法が無意味であるとは限りません。実際⑦適合のような工夫は現実的にも行われています。

単に翻訳が「正しい」、「良い」、「忠実」であるかを議論するのではなく、翻訳の可能性の理由や効果を検討することが実り豊かな議論につながります。

① 借用 Borrowing	英 computer	コンピューター
② 語義借用 Calque	仏 marché aux puces 英 flea market	蚤の市
③ 直訳 Literal Trans.	英 Even Homer sometimes nods.	ホメロスも時々うとうとする。
④ 転位 Transposition	英 No Vacancies	満室
⑤ 調整 Modulation	英 have a quick cup of coffee	コーヒーで一息つく
⑥ 対応 Equivalence	英 Even Homer sometimes nods.	弘法にも筆の誤り
⑦ 適合 Adaptation	仏『Notre-Dame de Paris』	『ノートルダムのせむし男』 『ノートルダムの鐘』

【表2】ヴィネイとダルベルネによる一般的翻訳方略（Venuti 2000:92、ピム 2010:23）

日本文学と翻訳理論

明治時代以降、日本文学の発展には、翻訳者と翻訳が重要な役割を果たしてきました。坪内逍遥（1859-1935）、森鷗外（1962-1922）、二葉亭四迷（1864-1909）、谷崎潤一郎（1886-1965）といった小説家たちは、西洋文学の翻訳に携わりながら、話しことばに近い文体（いわゆる「言文一致運動」）の発展に寄与しました［柳父 2010, 井上 2011］。外国の言語と思想の翻訳語である「自由」（liberty）や「恋愛」（love）、「彼（女）」（s/he）や「美」（beauty）なども、話しことばにも導入されました［柳父 1982］。最近でも、村上春樹（1949-）がF・スコット・フィッツジェラルド F.Scott Fitzgerald（1896-1940）やレイモンド・カーヴァー Raymond Carver（1938-88）を訳すことによって自分の文体を見つけたことはよく知られています。重要なのは、翻訳の正誤の視点よりは、「文化的翻訳」のような翻訳によって起点文化がどのように生成変化したかというポジティブな視点を持つことです。たとえば、ドイツ語と日本語の間に新たな「世界」を生み出す作家多和田葉子（1960-）や「文化的翻訳」を掲げる理論家ホミ・バーバ Homi Bhaba（1949-）やマリア・ティモツコ Maria Tymoczko（1943-）などが代表的です。一方、日本語と日本文学の特徴に光を当てる水村美苗（1951-）や理論家エミリー・アプター Emily Apter（1954-）が論じる翻訳不可能な視点も大切です。なお、柳父章（1928-2018）［2010］、インドラ・レヴィ Indra Levy［2011］の論じるように、現代における翻訳の重要性は、古代の翻訳文化ともつながっていましたので、東アジア文化圏の状況を念頭に置く必要があります。

東アジアの初期の翻訳史においても、実は西洋の伝統と同じような翻訳方略が見えます。たとえば、仏典が中国の文字やことばに翻訳される際、音訳（借用）と漢訳の両方がなされました。Prajñā（音訳：般若。漢訳：智慧）や dhāraṇī（音訳：陀羅尼。漢訳：総持、咒、呪）などがその例です。また、Avalokitêśvara を観世音、光世音、または観自在と訳すのは、avalokita「見ること」＋ īśvara「自在な者」もしくは svara「音」のどちらの語源をとるかという判断によります。阿那婆婁吉低輸のように音訳すれば、その意味はあいまいなままであり、読者の判断に委ねられます。ところで、「観音」（＜観世音）や「方便」（＜善権方便＜ upāyakauśalya）という省略は、2字の語に落ち着く中国語の傾向を反映しています。翻訳の他の側面として、仏教の教えを表す用語が道教で使われることもあります。たとえば、仏教の arhat（音訳：阿羅漢、漢訳：応供、殺賊、不生）は「真人」、nirvāṇa（音訳：涅槃、漢訳：寂滅）は「無為」と訳され、道教の意味を想起させます。このような用例の分析には西洋の理論も適用できますが、翻訳の問題は言語と真理の概念の前提が何であるかにかかっています。

翻訳というフィルターは日本列島への書記や学問の伝来に影響を及ぼしています。第1に、表意文字と表音文字の混在は、記号化・復号化という典型的な記号論的プロセスに疑問を投げかけます。たとえば、『万葉集』では、「イチシロク」を「伊知之路久」、「伊知白苦」、「灼然」と表記し、「ネモコロ（ゴロ）（ニ）」を「祢母許呂其呂尓」、「惻隠」、「懃」、「懃懇」、「叩々」、「心哀」、「根毛一伏三向凝呂尓」と表記します。このような表記の違いによって、少なくともその鑑賞における受け取り方は異なってきます。第2に、翻訳の前提が問われるのは、朝鮮半島からの渡来人によって伝えられたと考えられる「訓読法」です。訓読のプロセスは、加点（レ点など）で示すようになりましたが、加点の有無にかかわらず中国語のテキストを日本語で音読できることが特筆に値します。

ティモツコ［Hermans 2014］は、「翻訳理論」がヨーロッパ中心主義である前提を指摘し、言語のハイブリディティ、口頭性、テキストのジャンルや媒体、翻訳のプロセス、そして翻訳の定義などの再考によって、その前提に揺さぶりをかけることを促しています。古代から近代にいたるまで、日本における翻訳の役割は「日本文化」の歴史にとって極めて重要であるばかりではなく、翻訳理論の学際的な応用・改善によってさらなる発展が期待できます。日本文学の外国語訳や外国語文学の日本語訳といった言語間翻訳はもちろんのこと、言語内翻訳や記号間翻訳、つまり文化的翻訳などの、多くの問題に光を当ててくれるに違いありません。

＝さらに深く学ぶために＝

・アンソニー・ピム『翻訳理論の探求』（武田珂代子訳）、みすず書房、2020（新装版）
・ジェレミー・マンデイ『翻訳学入門』（鳥飼玖美子監訳）、みすず書房 2018（新装版）
・Venuti, Lawrence, ed. *The Translation Studies Reader*. London: Routledge. 2000（1st ed.）, 2021（4th ed.）
・三ツ木道夫編訳『思想としての翻訳』白水社、2008
・柳父章ほか編『日本の翻訳論』法政大学出版局、2010
・柳父章『翻訳語成立事情』岩波新書、岩波書店、1982
・井上健『文豪の翻訳力』武田ランダムハウスジャパン、2011
・ローレンス・ヴェヌティ『翻訳のスキャンダル』（秋草俊一郎ほか訳）、フィルムアート社、2022
・ホミ・K・バーバ『文化の場所』（本橋哲也ほか訳）、法政大学出版局、2012（新装版）
・Levy, Indra, ed. *Translation in Modern Japan*. Routledge. 2011
・Hermans, Theo, ed. *Translating Others*. Vol. 1. Routledge. 2014

（ローレン・ウォーラー）

海外から日本へ

文学〈受容〉の分類

〈文学交流〉の要（かなめ）である「翻訳」は、漢文学の世界とキリシタン文献を措（お）くなら、明治時代に始まりました。「哲学」、「心理学」など多くの翻訳語が西周（にしあまね）（1829-1897）などにより創られ、坪内逍遙（つぼうちしょうよう）（1859-1935）のシェイクスピア戯曲翻訳をはじめとして、文学の翻訳も隆盛しました。日本における西洋語訳は150年以上の歴史があるわけです。その歴史の中で、『ハムレット』を翻案した、志賀直哉（しがなおや）（1883-1971）の『クローディアスの日記』（1912）、太宰治（だざいおさむ）（1909-48）の『新ハムレット』（1941）、大岡昇平（おおおかしょうへい）（1909-88）の『ハムレット日記』（1980）なども生まれました。

〈文学交流〉という考え方とそれを支える翻訳は、大きくは文学の〈受容〉という枠組みに含まれます。〈受容〉は以下のように分類されています。① primary reception 第一義的受容（同時代）、② reproductive reception 再生産的受容（本文の再生・修復・編集・校閲）、③ academic reception 学問的受容（注釈、書誌学）、④ creative reception 創造的受容（Ulrich Müller, “Formen der Mittelalter-Rezeption” in Peter Wapnewski [ed.], *Mittelalter-Rezeption*, p. 508. 括弧内緑川）。「翻訳」はどこに入るでしょうか。実は「翻訳」は①②③④のすべてに関わっています。作品を〈受容〉するためのツールの役割を担っているのです。

ツールとしての翻訳が見せる言語世界

1925年出版の英国人作家ヴァージニア・ウルフ Virginia Woolf（1882-1941）の傑作『ダロウェイ夫人』*Mrs Dalloway*（1925）は、人の心の動きや感覚は流動的なイメージであるとする「意識の流れ」という心理学の考えを文体に採り入れています。第一次世界大戦後の1923年のある一日の出来事が、議員の妻であるダロウェイ夫人を焦点として描かれます。夫人が朝、花を買いに出かけるところから始まり、夫人が歩くロンドンの中心街が描写され、その点描の一つとして、戦争後遺症に苦しむセプティマスが焦点化され、ダロウェイ夫人の「意識の流れ」を中心とした叙述の間に、セプティマスの物語が挿入されます。ウルフ自身の「前書き」には、セプティマスはダロウェイ夫人の分身として構想されたとあります（研究社英米文学叢書49、P. xlvi）。

『ダロウェイ夫人』の日本語訳は複数あります。原文は次のように始まっています。Mrs Dalloway said she would buy the flowers herself.（直訳：ダロウェイ夫人は彼女は彼女自身で花を買うと言いました）。2010年の土屋政雄（つちやまさお）訳（光文社古典新訳文庫）は「お花はわたしが買ってきましょうね、とクラリッサは言った」とあります。クラリッサはダロウェイ夫人の名前です。

小説の文章は、例外はありますが、基本は一人称過去形か三人称過去形です。英語原文からもわかりますように、この文章は三人称過去形です。本来ならば、she said that とあるところの that が省略された間接話法です。学校英文法に倣（なら）いますと間接話法の中は、主文の時制を承けて過去形 would buy となり、人称もそのまま三人称で、herself となります。土屋訳では、「わたし」と一人称です。英語では Mrs Dalloway said she would buy the flowers myself とすることは絶対に出来ません。would buy は、「買ってきましょう」と未来形であり、「ね」という、一人称の会話的な付属語が付いています。「お花」と「お」が付いているのは面白いです。日本語訳では、三人称の文章の中に、「わたし」や「ね」という一人称的な語が交じっても全く奇異ではなく、むしろ自然なのです。土屋訳は、全編を通して she とあるところの大半を「わたし」

と一人称で訳しています。それが翻訳に吸引力と活力を与え、自然な日本語になっています。「意識の流れ」は不思議なことに日本語と相性がいいのです。

話法の翻訳（自由「間接」話法と自由「直接」話法）

英語の小説作法や文体を打ち砕こうと試みた先駆者はウルフと同時代のアイルランド人作家ジェームス・ジョイス James Joyce（1882-1941）です。ジョイスは『ユリシーズ』（1922）で、あらゆる文体的実験をしていますが、そういう中で、三人称過去形の小説の文体に一人称や現在形を取り込んでいるところがあります。英語を母語としない人が使うと、間違った英語とされてしまう文章です。一例をみます。Stephen bent forward and peered at the mirror held out to him[…] As he and others see me .（p.12）主人公が差し出された鏡の中に自分の顔を見る場面です。日本語訳は「スティーヴンは体を乗り出して突き出された鏡をのぞいた。（中略）彼やほかのみんなが見る顔」（丸谷（まるや）ほか訳、Ⅰ－p.21）とあります。これは近年こそ、自由「直接」話法と呼ばれ盛んに取り沙汰されますが、英語としては画期的な文章なのです。しかし日本語訳では一人称も現在形も問題にはならず、何の違和感もありません。

19 世紀末ごろから、英文学では、臨場感や吸引力を高めるために、たとえば he said that などが省かれる自由「間接」話法が使われるようになっていました。しかし自由「直接」話法はさらにその一歩先を行きます。he said などの語はもちろんのこと、鈎括弧（かぎかっこ）のない直接話法であり、シームレスな文章世界が現れ、読者を強く小説の中に取りこむのです。そしてそもそも話法の縛りが弱い日本語は、このような画期的な文章の翻訳に向いていました。外国語訳 150 年の積み重ねを経て、土屋訳『ダロウェイ夫人』が she の大半を「わたし」と訳すことが許容され、ある意味、原文世界の微妙なニュアンスを伝えることが出来るようになったとも言えるのです。

翻訳の文章における〈文学交流〉

英国の東洋学者アーサー・ウェイリー Arthur David Waley（1889-1966）が『源氏物語』の英訳でウルフの文体を真似たとも言われたりしますが、ウルフ作の『オーランドー』*Orlando: A Biography*（1928）にはウェイリー訳『源氏物語』の影響があると思われます。アメリカ合衆国の日本文学研究者 E・G・サイデンスティッカー Edward G. Seidensticker（1921-2007）が『源氏物語』を英訳した際（1976）には 19 世紀の英国小説の文体を真似（まね）し、自由「間接」話法を使いました。最も新しい、英国生まれの米国人ロイヤル・タイラー Royall Tyler（1936-）訳『源氏物語』（2001）においては、自由「直接」話法が使われています。このように現代では翻訳の文章における〈文学交流〉とも言うべき現象もあるのです。

＝さらに深く学ぶために＝

・高橋渡「受容論―ジョイスと伊藤整」『県立広島大学人間文化学部紀要』第 8 号、2013・2
・ジェームス・ジョイス『ユリシーズ』（丸谷才一他訳は集英社、1996。柳瀬尚紀訳は河出書房新社、2016）
・緑川眞知子「ヴァージニア・ウルフ『オーランドー』前半部におけるアーサー・ウェイリー訳『源氏物語』の投影―小説と芸術論の融合」『比較文学年誌』第 44 号、2008・3

（緑川眞知子）

日本から海外へ

日本語の「物語」≠フランス語の「物語」

フランスの日本文学研究者ルネ・シフェール René Sieffert（1923-2004）は、1988 年に『源氏物語』の翻訳 *Le Dit du Genji* を上梓しました。これがフランス語で唯一の完訳『源氏物語』です。ここでは、シフェール訳『源氏物語』を例に〈文学交流〉について考えてみます。

まず、取り上げたいのが、『源氏物語』のタイトルの翻訳です。「物語」に相当するフランス語には、conte、récit、histoire、roman などがあります。実際、タイトルを *Le Roman du Genji* と訳している翻訳もあります。しかし、シフェールはこれらの一般的な単語をタイトルに用いませんでした。conte はどちらかというと逸話や小話のタイトルに相応しい単語です。récit は光源氏自身によって作られた物語の場合にしか使えず、histoire も光源氏の物語という意味になるので光源氏が亡くなった後の世界（「匂兵部卿」巻以降）には当てはまりません。また、roman はもともとロマンス語で書かれた作品を指す言葉であるため、日本の「物語」とは本来全く関係のないジャンルです。以上の理由から、シフェールは、フランス人にとって一般的なこれらの単語を使わないことにしたのです。そして、選んだ訳語が dit でした。

新たなジャンルとしての dit

dit は「言う」という動詞 dire の過去分詞形ですが、名詞としても「中世における文学ジャンルであり、ありふれたテーマやニュース性のあるテーマを扱った短い作品」を表します（*Dictionnaire alphabétique et analogique de la langue française*. 1978）。しかし、名詞としての dit は、一部の中世の専門家には知られていますが、一般のフランス人には理解されない非常に特殊な単語です。*Le Dit du Genji* という題を見ても、名詞で使われる dit という単語を知らないため、意味が取りにくいのです。しかし、そこにシフェールの狙いがありました。シフェールは思い切ったことに、この dit という単語に「物語」という新しい意味を与えることにしたのです。

シフェールは『源氏物語』を翻訳するに際し、日本語の「物語」という言葉を分析し、「物」を「語」るという口頭性にその特性を見出しました。また、『源氏物語』の作品内部に物語の語り手の声が内在することや、作品自体が音読によって享受されていたことを踏まえ、「語」るというニュアンスを特に重視していました。dit 自体が口頭の側面を想起させる呼び名であり、かつ多くの人がその本来のジャンルを知らないので、日本語の「物語」を表す単語としてふさわしいと判断したのです。既存の単語に新たな意味を与えてしまうという、ある意味大胆な試みですが、タイトルの翻訳だけでも両国の文学的背景の違いがうかがい知れます 。

翻訳を一つの作品として読む、鑑賞する

では、次にシフェール訳『源氏物語』の世界から、翻訳作品の「読み」について考えたいと思います。『源氏物語』では特定の人物に同じ修飾語が繰り返し用いられたり、ある場面に同じ語が何度も用いられたりすることで、その人物の性格や場面の全体像を規定していくということがあります。しかし、『源氏物語』を翻訳するとき、必ずしもそれら全てが同じ単語を使って翻訳されるというわけではありません。その意味で、『源氏物語』そのものをそっくり移し替えることはできないわけですが、一方で、翻訳が原文の世界をふまえつつ、そこから離

れて新たな意味世界を構築するということも十分に考えられます。その一例をombre（オンブル）という単語を中心に簡単に紹介します。ombreは第一義的には「影」という意味を持ちますが、そこから派生して、「闇」や「夜」などの意味をもつほか、比喩として「運命」や「死」をも表します。さらに「人の影」の意味をもつことから、「魂」や「亡霊」の意味も表せます。

さて、シフェール訳『源氏物語』においてこのombreという単語の使用例を調べてみると、登場人物に対して使われる場合、特徴的な傾向が認められます。とりわけ「藤裏葉（ふじのうらば）」巻までの第1部において、ombreは光源氏と血縁的つながりのある人物に集中して用いられており、特に光源氏の両親である桐壺帝（きりつぼてい）と桐壺更衣（きりつぼのこうい）に対し繰り返し用いられているのです。たとえば、桐壺帝が亡き桐壺更衣の「魂（たま）のありか」を知りたいと願う和歌において、その「魂」がombreと訳出されたり、源氏が須磨（すま）（現在の神戸市）に発つ前に訪れた桐壺院の山陵（さんりょう）で桐壺院の「御面影（おもかげ）」（生前の姿）を見る場面において、その「面影」がombreと訳出されたりするという具合です。

この桐壺更衣と桐壺帝の両者に集中してombreという単語が充てられていることの意味を、光源氏の存在と関わらせ、翻訳作品の読みの可能性という観点から考えてみます。原文では「かげ（蔭・影）」、「たま（魂）」、「面影」というようにそれぞれ異なる単語が、シフェール訳においてはombreという同じ単語で訳出され、かつその使用例が特定の登場人物に限定されているとき、そこに何らかの意味を見出すことができるのではないかと思うのです。ombreという語のもつ「影」や「闇」といった暗いイメージを合わせて考えてみると、「光」と形容される源氏の周囲にombreという単語が使われていることには注意されます。光源氏の光は、王法や仏法に関わる「日」の光ではなく、あくまで「月」の光（罪と流離の負の精神の系譜）であることが指摘されていますが（高橋亨（たかはしとおる）「光源氏の〈光〉と王権」『色ごのみの文学と王権』新典社、1990）、シフェール訳『源氏物語』において桐壺更衣や桐壺帝に「影」という光と対照的な語を繰り返し用いることは、光源氏の暗さをも伴った光を暗示する、いわば伏線的な機能を果たしていると読むこともできるのではないでしょうか。

このような読み方はある意味で飛躍に過ぎるかもしれませんが、たとえば、デイヴィッド・ダムロッシュ David Damroschは、『源氏物語』も含めた世界文学の定義のひとつに「翻訳を通して豊かになる作品」を挙げ、「すぐれた翻訳は、原文のヴィジョンを損なうような媒介しかできないのではなく、読者とテクストのあいだのもともと創造的な相互作用をさらに強めてくれる」と述べています（『世界文学とは何か？』2011）。また、多和田葉子（たわだようこ）もドイツ語で書かれたパウル・ツェラン Paul Celanの詩について、その日本語訳に門構えの字が複数現れる点に注目した上で、当該詩を解釈し、「翻訳の中で原文が新しい身体を授かる」ことを指摘しています（「翻訳者の門」『カタコトのうわごと』青土社、1999）。いずれも、原文とは切り離したところにある、翻訳そのもののあり方を指摘したもので、〈文学交流〉の研究においても示唆（しさ）的な考え方であると言えるでしょう。

＝さらに深く学ぶために＝

・デイヴィッド・ダムロッシュ『世界文学とは何か？』（秋草俊一郎、奥彩子、桐山大介、小松真帆、平塚隼介、山辺弦訳）、国書刊行会、2011（原著は2003年）
・常田槙子「シフェール訳『源氏物語』におけるombreの表象」『文学・語学』第213号、2015・8

（常田槙子）

翻訳文学とコンテクスト

ゲーテによる「世界文学」の宣言

1827年頃にヨハン・ヴォルフガング・フォン・ゲーテ Johann Wolfgang von Goethe（1749-1832）はドイツ語に翻訳された中国の小説を読みました。ヨーロッパから遠く離れた国の言葉で書かれ、馴染(なじ)みのない風景や習慣を描いた作品ですが、そこに書かれている人間の感情には共感でき、感銘を受けました。ゲーテはこの体験を挙げ、「世界文学」の到来を宣言します。今まで距離やことばの違いといった障害で互いに隔てられていた人類は、長らく各国の「国文学」をこつこつと深めてきたのですが、国際貿易や翻訳の急激な発展によって、それぞれの成果を共有し合う基盤、つまり「世界文学」がいよいよできつつある、と。これからの創作者や読者は、自分の言語圏に縛られることなく、翻訳を通して世界中の名作を自由に読むことができ、結果として新たな表現が生み出されるだろうとゲーテは期待しました。

ゲーテが「世界文学」を提起してからおよそ200年が経った今、確かに各国・各言語圏間の〈文学交流〉は深まったと言えるでしょう。高度情報化にともなってその動きはさらに加速しています。しかし「世界文学」を、世界中の作品に自由にアクセスできる空間と定義すると、それはいまだ実現に至っていません。なぜなら、一人の読者が世界中の膨大な量の書物を俯瞰(ふかん)することは物理的に不可能だからです。「世界文学」の大学講義を履修するときも、書店で「海外文学」の書架を見るときも、そこで出会うのはあくまで誰かの判断で選択された、「世界文学」のごく一部の作品群です。では、誰が、どこの段階で、どのような基準をもって、そこに羅列される作品を選んだのでしょうか。このようなコンテクストの問題は避けられません。

常に流動しているキャノンとしての「日本文学」

この問題を検討するために、まずは「国文学」としての「日本文学」を考えてみましょう。高校の国語便覧にどのような作品が載っていますか。発表当時から高く評価された作品や文学賞受賞作もありますが、時代が下ってから研究者や評論家の再評価を得て掲載されたものもあります。場合によっては、かつての掲載作品が削除されることもあります。このようにさまざまな識者や読者の緩(ゆる)やかな合意によって形成される作品群を日本文学のキャノン（正典、canon）と呼びます。ここで重要なのは、キャノンは永久不変な名作一覧ではありません。文学観念や社会の価値観の変化に応じて常に流動しているものです。

比較文学研究者デイヴィッド・ダムロッシュ David Damrosch が指摘するように、翻訳を通して読む「世界文学」は「国文学」と同様に、キャノンを決定する制度として機能します。たとえば、日本に日本文学のキャノンがあると同時に、中国における（中国語に翻訳された）日本文学のキャノンや、フランスにおける（フランス語に翻訳された）日本文学のキャノンなども別々に存在します。世界中にある複数の「日本文学」には深い交流がありますが、ただ日本で高く評価された作品がそのまま各国の言葉に翻訳されて出版されるということではありません。それぞれの社会で、読者の需要や現役翻訳者の興味関心、ひいては国際情勢などという時代的な要素に合わせて、個別の作品群が選定されます。

具体例として、英語圏における「日本文学」を取り上げます。第二次世界大戦の終戦後、ニューヨークの出版社クノップフ社 Alfred A. Knopf, Inc. は近代日本文学の翻訳企画を打ち出しました。第一作として、大佛次郎（1897-1973）の長編小説『帰郷』（1948、英訳 *Homecoming*（1955））を刊行しました。長年の海外滞在を終え、戦後日本に帰ってくる主人公の守屋恭吾は外からの眼差しで母国を観察します。このような描写は、同じく「外からの眼差し」をもつ英語圏の読者には理解しやすかったと思われます。守屋が京都を訪問して戦火を免れた古来の街並みを懐かしく眺める第 13 章は、クノップフ社の編集長ハロルド・ストラウス Harold Strauss（1907-1975）自身によって翻訳されました。

第二作として、谷崎潤一郎（1886-1965）の小説『蓼喰う虫』（1929、英訳 *Some Prefer Nettles*（1955））が刊行されました。『帰郷』と同様、『蓼喰う虫』は主人公が外の立場から日本の伝統文化に直面するシーンを多数含みます。近代化の中心とされる東京で生まれた主人公の斯波要は神戸の洋館に暮らしており、ジャズを聴いたりイギリス文学を読んだりして、結婚生活に関しても西洋の夫婦関係に規範を求めていますが、結婚が破綻するなか、関西の伝統芸に傾倒する義父とともに人形浄瑠璃を鑑賞し、日本の伝統美学に目覚めていきます。

クノップフ社は近代日本文学を戦後アメリカに紹介した際に、たとえば夏目漱石や芥川龍之介などの小説も翻訳することはできたでしょうが、アメリカの読者への伝わりやすさを優先し、慎重に作品を選びました。実際、『蓼喰う虫』を始め数多くの作品を英訳した E・G・サイデンステッカー Edward G. Seidensticker（1921-2007）は、第一作の候補として川端康成の小説『山の音』（1954）を提案しましたが、「川端は、ちょっと、気取りすぎで、凝りすぎだ」という理由でストラウスに断られました。最終的にこの判断は正しかったとサイデンステッカーは自伝に書いています。「一般の読者にも近づきやすい作品、それに、異国の文学であることを、それほど強く感じさせない作品から始めることが必要だった」とサイデンステッカーは説明します。

コンテクストを調べると見えてくる翻訳文学の物語

クノップフ社の第一歩を踏まえて、日本近現代文学の英訳が盛んに行われ、徐々に多様化してきました。今のアメリカの書店では、谷崎の作品も並んでいますが、村上春樹や川上未映子などの小説もあり、宇佐見りんなどの若手作家の作品もあって、リービ英雄や李琴峰などの越境文学も陳列されています。近年、いわゆる純文学だけではなく、たとえばミステリーやライトノベルなどのジャンルも英訳されていることも注目すべきでしょう。翻訳で読める作品が増えるにつれて、ゲーテが謳った「世界文学」により近い空間ができつつあります。しかしどの作品も、ある時点のアメリカにおける文学観念や、おそらくアメリカの読者が日本に投影していたイメージに合わせて選ばれ、翻訳されたということは変わりません。翻訳文学のすべての作品に、このコンテクストを調べてはじめて見えてくる物語があります。

＝さらに深く学ぶために＝

・E・G・サイデンステッカー『流れゆく日々　サイデンステッカー自伝』（安西徹雄訳）時事通信社、2004

・デイヴィッド・ダムロッシュ『世界文学とは何か？』（秋草俊一郎、奥彩子、桐山大介、小松真帆、平塚隼介、山辺弦訳）、国書刊行会、2011

・グレゴリー・ケズナジャット「アメリカにおける『陰翳禮讃』と『蓼喰ふ蟲』の紹介 ―谷崎潤一郎の英訳と「日本文学」の評価基準」『同志社国文学』第 82 号、2015・3

（グレゴリー・ケズナジャット）

Ⅳ　〈文学交流〉に生きた近代の文学者たち

ラビンドラナート・タゴール

〈生命〉の哲学と西洋に対する批判

タゴールの生家にて

ラビンドラナート・タゴール Rabindranath Tagore（1861-1941）は、インドの文学者、思想家です。1861 年、イギリス統治下インドの首都カルカッタ（現在のコルカタ）で広大な領地を所有する名家タゴール家の 14 番目の末子として誕生。芸術的才能に恵まれた家族の影響で、8 歳で詩作を開始し、1913 年にベンガル語の詩集を自ら英訳した詩集『ギタンジャリ』*Gitanjali* によって、アジア人で初めてノーベル文学賞を受賞しました。小説、音楽、戯曲、絵画、哲学の分野でも多彩な作品を残しました。タゴールは自分の〈生命〉と世界の〈生命〉を一体と捉え、生と死を連続するものと見る哲学を持ち、また、西洋の「力による征服」を激しく批判して、ガーンディー Gandhi の不服従運動に対するイギリスの弾圧に抗議する一方、イギリス統治下のインドの社会的弱者（女性、貧困者、被差別民など）に限りないエンパシーを寄せました。近代インドを代表する文学者として、インドを始め世界の諸地域に絶大な影響を与えました。

西欧とタゴールの〈文学交流〉

タゴールは、世界中を旅し、著名な海外の文学者たちと交流しました。その中で最も深く心を通わせたのが『ジャン・クリストフ』*Jean-Christophe* などの作品で知られるフランスの小説家ロマン・ロラン Romain Rolland（1866-1944）です。タゴールとロランは、人間性の問題や国際的な政治の考え方において互いの理想の一致を認めると、その仲を深めていきました。それは、1919 年 6 月にロランが発表した「精神の独立宣言」《Déclaration de l'indépendance de l'Esprit》にタゴールが心からの共感とともに、同盟への参加を表明したことからも伺い知るができます。タゴールは、友人に宛てた手紙の中で、ロランの第一印象について「私が西洋で出会った人たちのすべての中で、私の心情に最も近く、私の精神に最も似通っていて私を驚かせたのは、ロマン・ロランでした」と書き記しています。タゴールとロランは 3 度（1921、1926、1930）会っており、2 度目には、タゴールがロラン宅近くのホテルに 2 週間も滞在して、毎日、しかも日に数回も訪ね合って歓談を重ねました。その後も、タゴールとロランは死の直前まで親しく文通を続け、現存するだけで 50 通以上の手紙やはがき、電報などを交わしています。

中国とタゴールの〈文学交流〉

一方で、タゴールは欧米だけでなく、広くアジアの文学者とも交流を重ねました。東アジアでは中国と日本を訪れ、各地で講演活動なども積極的に行っています。1924 年 4 月、タゴールが初めて中国を訪問すると、初めてノーベル賞を受賞したアジア人として大きなセンセーションを巻き起こし、その作品は中国現代詩に強い影響を与えました。タゴールと直接的な交流を持ち、かつ中国の現代詩に影響を与えたのは、中国の詩人徐志摩（じょしま） Xu Zhimo（1892-1931）です。徐志摩はタゴールの中国招聘（しょうへい）に尽力し、案内および通訳として同行しました。タゴール

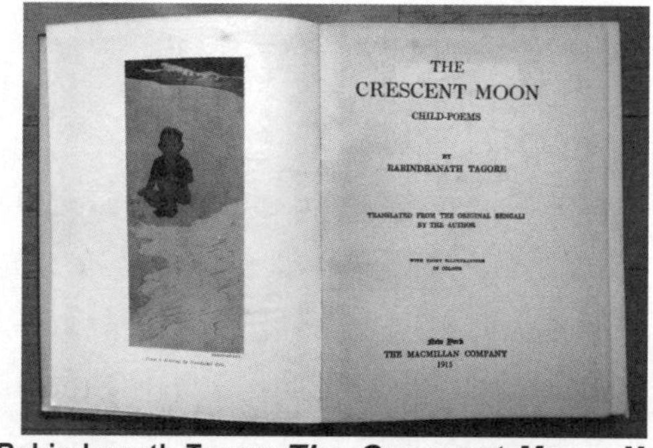

Rabindranath Tagore, *The Crescent Moon*, Macmillan,1915（初版は 1913 年）

は徐志摩をベンガル語の発音で〈シュシモ〉と呼び、徐志摩はタゴールを〈ラビダダ〉（ベンガル語で、ラビ兄さんの意）と呼ぶなど、温かい関係を築いています。

1928 年、胡適 Hu Shi（1891-1962）、聞一多 Wen Yiduo（1899-1946）、徐志摩は、タゴールの作品名（*The Crescent Moon*, Macmillan,1913）に因んだ雑誌『新月』Xinyue を創刊しました。同誌は、軍閥政府に反対する五・四運動に続く新文化運動の一部を担うもので、3 人はともに中国現代詩の先駆者となりました。徐志摩を中心とした「新月派」の存在は、20 世紀前半の中国新文化運動の中の特筆すべき出来事として、またタゴールと中国の〈文学交流〉の豊かな果実として、現在も中国文学史に深く刻まれています。

日本とタゴールの〈文学交流〉

Rabindranath Tagore, *Japanjatri*, Visva Bharati Publishing, 2004（初版は 1919 年）

タゴールは来日以前から、コルカタのタゴール家と交流のあった岡倉天心やその門弟横山大観など日本美術院の人々を通して、日本の文化に強い関心を持っていました。タゴールは、1916 年初来日の経験を『日本紀行』*Japanjatri*（1919）としてまとめています。日本文学に触れたタゴールは、特に俳句に感銘を受け、芭蕉の 2 句をベンガル語訳して紹介し、また日本での滞在経験を短詩として書き溜め、短詩集『迷い鳥』*Stay Birds*（1916）を出版しています。他方、日本におけるタゴールの最も早い紹介は、北原白秋主宰の文芸雑誌『朱欒』の 1913 年 2 月号掲載の「あらゆるもののある国」（増野三良訳）という翻訳詩でした。翻訳者の増野は、イギリスの新聞「ネーション」*Nation* の小さな記事からタゴールの英詩を発見すると、病をおしてタゴールの翻訳に生涯を捧げ、1916 年 27 歳で亡くなるまで、3 冊もの翻訳詩集を世に送り出しました。大正期、タゴールの作品は 1915 年を一つのピークとして網羅的に紹介されましたが、戦争の足音とともに翻訳数は徐々に少なくなっていきます。しかし、翻訳された作品はやがて新たな翻訳者を惹きつけ、増野訳でタゴールの詩に初めて触れた山室静（1906-2000）が、戦争下でもタゴールの翻訳詩集を出版し、戦前・戦後、一貫して翻訳し続けました。

このように、広く海外に足を運び、〈文学交流〉に生きたタゴールの著作は今もなお多くの人の手で様々な言語に翻訳されています。タゴールの作品は常に国境を越えて開かれており、広く文学を窓として世界と交流を図ろうと試みる現在の私たちに、大きな示唆を与え続けています。

＝さらに深く学ぶために＝

・『タゴール著作集』全 12 巻、第三文明社、1981-1993

・我妻和男『タゴール—詩・思想・生涯』麗澤大学出版会、2006

・丹羽京子『タゴール（人と思想 119）』清水書院、2016

・新田杏奈「増野三良とタゴール英詩集」『青山語文』第 49 号、2019・3

（新田杏奈）

エイミー・ローウェル

イマジズム

エイミー・ローウェル Amy Lowell（1874-1925）は、日本の和歌、発句にインスピレーションを受けて英米詩に新たな風を起こした、アメリカ合衆国の女性詩人です。ローウェルは、マサチューセッツ Massachusetts 州のブルックリン Brookline で、官吏の子として生まれました。ローウェル一族はボストンの名門で、母の父のアボット・ローレンス Abbott Lawrence はイギリス公使を務め、エイミーの兄パーシヴァル Percival は天文学者で旅行家、もう一人の兄のアボット Abbott はハーバード大学総長を務めました。ローウェルは家庭で個人教育を受けた後、詩作を開始します。日本に関心を持ったのは、兄パーシヴァルの影響です。彼は日本・朝鮮を旅し、『極東の魂』*The Spirt of the Far East*（1888）などを執筆しました。この本の " 個性が未発達の日本人 " という捉え方は、19 世紀のアメリカ人の日本人観の基礎となりました（ヘニングによる）。

1913 年、ローウェルは H.D.（Hilda Doolittle）の作品に啓示を受けます。H.D. はアメリカ合衆国生まれでロンドンに移住した、イマジズム Imagism 詩人です。イマジズムは、イギリスの反ロマン主義詩人 T•E•ヒューム T.E. Hulme（1883-1917）とその周囲に集う詩人たちによる、情緒を、それと等価のイメージに置き換えて表現することをめざした文学運動です。アメリカ合衆国生まれでロンドン在住の詩人エズラ・パウンド Ezra Pound（1885-1972）がこれに共鳴し、「イマジスト」Imagist ということばを作り（1912)、大きな運動としてゆきます（金関寿夫などによる)。1913 年発表のパウンドの短詩「地下鉄の停車場にて」"In a Station of the Metro" は、感情表現に富む長詩が普通であった英米の詩壇に大きな衝撃を与えました（城戸朱理訳による)。

The apparition of these faces in the crowd:（亡霊　群衆の中にあるさまざまな顔の、）
Petals on a wet, black bough.（花瓣　濡れた黒い枝の上の。）

地下鉄の群衆を、濡れた枝の花びらに重ねるこの詩は、日本の発句の影響を受けています。

ローウェルは 1914 年にロンドンに渡り、パウンドが他のイマジスト詩人たちとの対立によって運動に関心を失ってゆくなか、牽引者となります。ローウェルは『イマジスト詩人選』*Some Imagists Poets: An Anthology*（1915）の序文で、ありふれたことばの使用、的確な語の行使、リズムや題材の自由、堅牢さと明確さの追求など、イマジズムの基本理念をまとめました。

詩集『浮世絵』

イマジズム詩人としてのローウェルの果実の一つが、詩集『浮世絵』*Pictures of the Floating World*（1919）です。その序文でローウェルは次のように主張します（小松靖彦訳。以下同)。

> 私は発句の簡潔さと暗示性を保つことだけを試み、それを自然な範囲の中にとどめようとした。

ローウェルは〈簡潔さと暗示性〉を日本の詩歌の特徴と考え、それを自分の詩に応用したのです。それがよく現れているのが、『浮世絵』の「漆器の模様」"Lacquer Prints" の章の 59 編の短詩です。その多くは、Kioto［京都]、Uji River［宇治川]、Fuji-yama［富士山]、Nara［奈良]、Yoshiwara［吉原］などの地名を含み、日本を舞台とした作品です。日本はあくまでもローウェルが想像した《日本》で、「ジャポニズム」（日本趣味）の一種です。しかし、日本の和歌や発句を通じての新たな詩的表現の開拓が行われていることは見逃せません。

「京都近く」“Near Kioto” は、『百人一首』の在原業平の和歌を踏まえています。

As I crossed over the bridge of Ariwarano Narikira,　（在原業平橋を渡るとき）
I saw that the waters were purple　（浮かぶ楓の葉によって）
With the floating leaves of maples.　（水が紫となっているのを見た）

川に浮かぶ楓を、「紫」という華麗な色で表現しています。「紫」は西洋では最も高貴な色です。業平の和歌「ちはやぶる　神代も聞かず　竜田川　からくれなゐに　水くぐるとは（不思議な神の時代にもあったと聞いたことはない。竜田川で、鮮やかな紅色の下を水が潜って流れるとは）」は、一面に紅葉が散り敷いた竜田川の下を水が流れゆくという耽美的情景を、色彩鮮やかに描いています。ローウェルがこの歌を知った、『百人一首』の英訳は、「ちはやぶる神代も聞かず」と「水くぐるとは」の解釈に難渋して説明的です。ローウェルは「神代」には触れず、この歌に特徴的な色彩の鮮やかさを、常識的な red でなく、purple で表現し、一層鮮明なものとしたのです。

イメージの力

ローウェルの短詩には、捉えどころのない空間の中に、一つの自然物を点じる、という日本画の〈余白〉に通じるものも見られます。「吉原哀歌」“Yoshiwara Lament” がその例です。

Golden peacocks　（咲いている梅の木のもとには）
Under blossoming cherry-trees,　（黄金の孔雀）
But on all the wide sea　（けれども広い海には）
There is no boat.　（一艘の舟もない）

この舟は吉原の遊女のもとに通う舟、遊女たちとの舟遊びの舟なのでしょう。梅花のもとの黄金の孔雀がかつての日々を想起させます。鮮やかに目に映るものと、背後に広がる寂寞との対比の構図、そして舟の〈不在〉が、この情景を〈物語〉の一断面のようにしています。

さらに、「平和」“Peace” では、鮮明な自然のイメージが社会批評となっています。

Perched upon the muzzle of a cannon　（大砲の砲口に止まって）
A yellow butterfly is slowly opening and shutting its wings.　（黄色い蝶がゆっくりと羽を広げたり閉じたりしている）

強力な大砲と、繊細な蝶の対比。しかし、蝶の羽の開閉の動きは、砲弾の発射を封じ、黄金にも通じる蝶の黄色は、黒い大砲を美に変えてしまいます。この詩のイメージは、第一次世界大戦を経た世界に対する、強力な〈平和〉のメッセージとなっています。

ローウェルの短詩の試みは、早くも1920年代に日本で紹介され、芥川龍之介も「日本ではエミイ・ロオウエル女史が有名」と述べています（「パステルの龍」1922）。

＝さらに深く学ぶために＝

・ジョセフ・M・ヘニング『アメリカ文化の日本経験　人種・宗教・文明の形成期米日関係』（空井護訳）、みすず書房、2005
・沢崎順之助、金関寿夫、新倉俊一、鍵谷幸信『現代詩』シンポジウム英米文学、学生社、1975
・吉川朗子「並置の詩学― Amy Lowell を読む」『外国学研究（神戸市外国語大学）』第81号、2012・3

（小松靖彦）

アデレイド・クラプシー

詩学の研究に専心した生涯

アデレイド・クラプシー Adelaide Crapsey（1878-1914）は、日本の和歌、俳句の研究を通じて、「五行詩」cinquainという、英米詩の新しい詩形を生み出した、アメリカ合衆国の女性詩人です。クラプシーは、ニューヨーク州のブルックリン・ハイツ Brooklyn Heightsで、牧師の子として生まれ、父の異動により、ロチェスター Rochesterで育ちました。当時女子大学であったヴァッサー大学 Vassar Collegeに入学し、英文学、詩学、語学（ラテン語、フランス、ドイツ語）を学んでいます。寄宿舎のルームメイトが、『足長おじさん』*Daddy Long-Legs*の著者となるジーン・ウェブスター Jean Websterでした。卒業後、母校の女子高校の教員を2年間務め、その後、ローマのアメリカ・アカデミーの古典学部 The School of Classical Studies of the American Academyに入学しました。帰国後は進学準備校の教員を務めながら、英詩の分析に専心します。しかし、家族の不幸に見舞われ、自分自身も肺結核に罹患（りかん）、その療養のため、ローマ、ロンドン、ケントに移住しました。この間に、大英博物館で詩の韻律の研究に没頭します。1911年にアメリカ合衆国に帰国し、スミス大学 Smith Collegeで詩学の専任講師を務めながら、「五行詩」を制作しました。1913年に病状悪化によりサナトリウムに入りましたが、詩作を続け、ロチェスターの家で、36歳の生涯を閉じました。

「五行詩」について

「五行詩」とは、1編の詩を5行、22シラブル（1母音（ぼいん）を含む、1音で発音される音の塊）で構成します。各行のシラブルは2-4-6-8-2、リズムは弱強格（アイアンブ iamb）で各行の詩脚（弱強の単位）は1-2-3-4-1です。「五行詩」は語数が少ないため、自然の1場面を表現することに集中します。しかも、クラプシーは、その場面を、平易なことばで、明確なイメージとして描きました。この点で「五行詩」は、イマジズム Imagismの詩と類似します。クラプシーを「意識せざるイマジスト」と言う研究者もいます。しかし、イマジズムを牽引（けんいん）したエイミー・ローウェル Amy Lowellが自由詩を重視したのに対して、クラプシーがめざしたのは厳格な定型詩でした。また、「五行詩」は〈弱強〉のリズムをとりながら、1行目から4行目までシラブルを漸増（ぜんぞう）して心の動きを加速させ、それを5行目で急速に止めて余韻を残します。これによって自然のイメージと心情が複雑に絡み合います。俳句的なローウェルに対して、和歌的です。

「五行詩」の形式は、和歌の英語・仏語による5行訳にヒントを得ています。川並秀雄（かわなみひでお）の蔵書調査によって、クラプシーが、①ウィリアム・N・ポーター William N. Porter訳『百人一首』（*A Hundred Verses from Old Japan*. 1909）、②ミシェル・ルボン Michel Revon訳『日本文学選集』（*Anthologie de la littérature japonaise des origines au XXe siècle*. 1910）、③野口米次郎（のぐちよねじろう） Yone Noguchi『東海より』（*From the Eastern Sea*. 1903）を、なかでも②を愛読していたことが判明しています。

『百人一首』にインスピレーションを受ける

クラプシーは28編の「五行詩」を作りました。その中には、『百人一首』にインスピレーションを受けているものもあります。その1つが「苦悶」"Anguish"です（小松靖彦訳。以下同）。

Keep thou　　　　（夜の間中（あいだじゅう））

Thy tearless watch　（涙を流さずにじっと見続けなさい）
All night but when blue dawn　（青い夜明けが、銀の月に）
Breathes on the silver moon, then weep!　（息を吹きかけたら、泣きなさい）
Then weep!　（泣きなさい）

この作品は、壬生忠岑の「有明の　つれなく見えし　別れより　暁ばかり　うきものはなし（明け方の月がそっけないものに見えた別れから、暁ほど、わが身の運命をつらく厭わしく思う時はない）」という冷淡な恋人との別離を明け方の月で象徴した和歌と、西行の「嘆けとて　月やは物を思はする　かこち顔なる　わが涙かな（「嘆け」と言って月は私に物思いをさせているのだろうか、いやそうではない（恋の嘆きによるものだ）。それなのに、月のせいだとして流れ落ちる私の涙よ）」という月明かりの中で、恋の悲しみに自然と流れ落ちる涙を詠んだ和歌を下敷きにしています。クラプシーは、西行の歌の「嘆けとて」を、《Pleure!》［「泣きなさい」］と月が発したことばとしたルヴォン訳の影響を受けながら、苦しみに耐える〈時間〉の長さと、朝の到来とともに堰を切って流れる涙を、青い夜明けの空と銀色の月が象徴する孤独の風景の中に表現しました。

〈死〉を見つめる

クラプシーは、「五行詩」によって、〈死〉に浸食されてゆく世界と自分自身を見つめ続けました。「用心深い傷」“The Guarded Wound” は、肺結核の〈痛み〉を表現した作品です。

If it　（もしそれが）
Were lighter touch　（草の上で休らう花びらよりも）
Than petal of flower resting　（軽く触れるのであったなら）
On grass oh still too heavy it were,　（ああ、やはり重い）
Too heavy!　（重すぎる！）

〈痛み〉を重さの感覚で捉え、それが花びらよりも軽くても重いと嘆きます。肺結核の〈痛み〉を、骨に止まる小鳥の仕業として「おまへが 嘴 で突くから／僕の痰には血がまじる」と歌った堀辰雄の詩とともに、〈痛み〉にイメージで向き合った詩として記憶されるものです。

また、「三対」“Triad” は、〈死〉とは何かを鮮明に示しています。

These be　（これらが）
Three silent things:　（3つの静けきものたち）
The falling snow. .　the hour　（降る雪. . ）
Before the dawn. .　the mouth of one　（夜明け前. . ）
Just dead.　（死者の口）

「死者の口」という生々しい表現によって、〈死〉がことばの終焉であることを示すとともに、それが自然の静寂と一体であることを言います。生と死の断絶を見つめ、〈死〉を自然の中で受け止めようとしているクラプシーがいます。「張り切った鋼鉄の絃をかなでるような、堅い澄んだ響きを発し、特有な音楽的美しさ」をもつという木村毅の「五行詩」評が想起されます。

＝さらに深く学ぶために＝

・川並秀雄「アデレイド・クラプシィとミシェル・ルボン―日本文学と関連して」『大阪商業大学論集』第19・20号合併号、1963・11
・木村毅『日米文学交流史の研究』講談社、1960、恒文社、1982

（小松靖彦）

魯迅

社会の現実に対する鋭い批判者

魯迅 Lu Xun（本名、周樹人 Zhou Shuren）は 1881 年、中国・紹興 Shaoxing の名家の長男として生まれました。13 歳の時に、祖父が政治事件により入獄、父は病に倒れ、周家は没落します。魯迅は南京の学校で学んだ後、1902 年に日本へ留学します。1909 年に帰国し、辛亥革命後は教育部の職に就き、大学でも教鞭をとります。常に社会の現実に対して鋭い批判と思考を持ち、「狂人日記」、「阿Q正伝」などの小説や数多くの「雑文」とよばれる評論を発表し、中国を代表する知識人として活躍します。自身の故郷を舞台にした小説「故郷」などは、国語の教科書にも収録され多くの日本人に親しまれてきました。

日本留学――救国と「藤野先生」

魯迅は南京での学生時代に西洋の学問に触れます。当時厳復 Yan Fu（1854-1921）がトーマス・ハックスレー Thomas Henry Huxley（1825-95）の『進化と倫理』*Evolution and Ethics* を翻訳、解説を付して『天演論』（1898）として出版し、中国の思想界に大きな影響を与えました。多くの知識人は、進化論の原理によると中国は滅亡の危機にあるのではないかと思い、衝撃を受けました。魯迅も当初は進化論の影響を受けましたが、その関心は人間そのものへと向かっていきます。その後優秀な成績で日本留学の資格を得て、1902 年 4 月に渡日します。

魯迅は東京の弘文学院で 2 年間学び、1904 年 9 月に仙台医学専門学校（現東北大学医学部）に入学します。そこでの体験をもとに、魯迅の名作「藤野先生」（1926）が生まれました。「藤野先生」には、魯迅が授業の合間に教室で見た日露戦争の幻灯に衝撃を受けた様子が描かれています。日本や列強諸国が戦争へ突き進むなか、魯迅は軍国主義とそこで犠牲になっていく中国人を目の当たりにし、何ら抵抗や反応を示さない、ひいては容易に「観客」になってしまう中国人の思想構造に厳しい目を向けます。この「観客」の有り様は、魯迅の作品でもしばしば描かれていきます。

藤野先生
（東北大学史料館蔵）

魯迅は文学の力で中国人の思想を変えるべく、文学の道へ進むことを決断します。のちに作品集が日本で翻訳出版される際、日本の翻訳者に「藤野先生」は収録してほしいと伝えました。「藤野先生」は魯迅にとって思い入れの深い作品だったのです。

翻訳への情熱――『域外小説集』『現代日本小説集』

魯迅は仙台医学専門学校を退学して東京に戻り、独逸学協会附属の独逸語専修学校（現獨協大学）に籍を置きながら執筆と翻訳にいそしみ、弟周作人 Zhou Zuoren（1885-1967）と共訳で外国文学の短編小説集『域外小説集』（1909）を出版します。この小説集では、魯迅は日本語とドイツ語の訳書を活用して、主にロシアや東欧諸国の作品と、列強諸国の圧迫を受けている民族の作品に重きを置いて翻訳しました。

日本文学に関しては、魯迅は「朝日新聞」に連載されていた夏目漱石の「虞美人草」を毎日熱心に読んでいました。のちに、周作人とともに『現代日本小説集』（1923）を編みます。芥川龍之介は魯迅の訳した「羅生門」を目にして満足を覚え、雑誌『改造』（1925.3）に『現代日本小説集』の紹介文を寄せ、高く評価します。魯迅と周作人は日本語も達者で、自作の日本語訳や日本語での文章も発表していました。魯迅、周作人にとっては、日本語も自らを表現することばの一つであったことが窺えます。

「狂人日記」「阿Q正伝」――中国近代文学と思想改革

陳独秀 ChenDuxiu（1879-1942）は雑誌『新青年』（『青年雑誌』1915年刊、後に改題）を立ち上げ、旧来の儒教思想を徹底的に批判し、西洋の「民主」と「科学」思想の導入をはかります。『新青年』では、胡適 HuShi（1891-1962）の「文学改良芻議」と陳独秀の「文学革命論」を起点に、白話（話しことば）による「新文学」が提唱され、「文学革命」論が展開します。魯迅は、『新青年』に中国文学史上、最初の近代白話小説となる「狂人日記」（1918）を発表しました。この作品では「人が人を食う」文化が綴られ、「子どもを救え」で締めくくられます。魯迅は中国の伝統文化がいかに中国人から個々の「人間」性を奪ってきたかを厳しく世に問います。続いて「孔乙己」、「薬」、「故郷」、「阿Q正伝」などの短編小説を発表し、1923年に最初の小説集『吶喊』、1926年に2作目の小説集『彷徨』を出版します。社会の底辺まで落ちぶれてしまった、でもどこか読書人風な面影をも漂わせている「孔乙己」、革命の犠牲になった青年と、一般庶民の愚鈍な、けれども子どものために精一杯生きている「薬」の老夫婦、「精神勝利法」という処世術で何とか自らを奮い立たせている「阿Q」。「阿Q」は、時に「観客」になり、また「観客」の対象にもなり、彼なりに社会の現状を全身で感じながら処刑されてしまいます。魯迅は小説の中で、語り手として、あるいは自らを作品の中に滑り込ませて物語を肉付けしていきました。

魯迅(左)と内山完造
(内山書店より提供)

日本とのつながり――内山書店を拠点に

内山書店は、1917年に上海で内山完造（1885-1959）の妻内山美喜が始めた書店です。上海に移り住んだ魯迅は内山書店をよく訪れ、店主の内山完造と無二の友情を築きました。内山書店は多くの日本書を揃えており、日本留学経験のある中国人や上海在住の日本人、来華する日本人の交流サロンになっていました。谷崎潤一郎や佐藤春夫など日本近代文学の作家たちも多く訪れ、内山完造は日中交流の場を作りました。中国文学者増田渉も内山を介して魯迅と知り合います。増田はのちに魯迅との思い出をもとに『魯迅の印象』（1948）をまとめます。魯迅と日本との関わりから、藤野先生や内山完造など、魯迅が実際に交流を持ち、信を置いた生身の日本人との関係が軸になって広がっていることが窺えます。魯迅の著書、もしくは魯迅が手掛けた膨大な翻訳作品を読み解き、魯迅と日本、世界との関わりを多層的に見ていくことによって、魯迅の作品は中国の読者だけでなく、日本の読者にも多くを訴えていることがわかるでしょう。

＝さらに深く学ぶために＝

・伊藤虎丸『魯迅と日本人―アジアの近代と「個」の思想』朝日新聞社、1983
・丸尾常喜『魯迅―「人」「鬼」の葛藤』岩波書店、1993
・藤井省三『魯迅事典』三省堂、2002

（吉田薫）

周作人

散文の名手

魯迅 Lu Xun の弟周作人 Zhou Zuoren は 1885 年、中国・紹興 Shaoxing に生まれました。南京の学校で学び、1906 年に日本へ留学します。日本では立教大学でギリシア語を学び、外国文学を翻訳し、魯迅と共訳で『域外小説集』を出版します。1911 年に帰国後は主に北京にて大学で教鞭をとりながら、散文の名手として近代中国の文壇で中心的な存在となりました。しかしながら、日中戦争勃発後、日本占領下の北京に居残り、傀儡政権のもとで要職に就いたため、戦後「漢奸」の罪を負います。文筆活動のなかで、日本文学の翻訳も精力的におこないました。各界の多くの日本人と交流を持ち、日本文化へ深い思いを抱き続けた知日家でした。

日本での生活

1905 年に日本留学の資格を得た周作人は、1906 年に一時帰国中であった魯迅とともに来日します。日本の最初の印象について、周作人は次のように語っています。「私が初めて東京に行ったその日は、時すでに夕方になっていた。まずは魯迅の下宿先である本郷湯島二丁目の伏見旅館に投宿した。これが私の日本生活に触れる初めての体験となり、最初に得た印象となった。この印象はごく普通のものであったが、しかしとても深いものであった。というのもそれから五十年来、この印象に何ら変更や修正をほどこすことはなかったからである。簡単に一言でいえば、日本人は生活において「天然」〔引用注、自然のままであること、素朴さ〕を愛し、簡素を尊ぶ、ということである」(『知堂回想録』。知堂は周作人の号。訳は引用者)。

周作人は東京では魯迅と暮らします。畳の部屋に下宿し、衣食住にわたり日本式の生活に馴染み、日々の暮らしの端々に趣きを感じていたさまは、「留学の思い出」(1942) に詳しく綴られています。魯迅とともに諸外国の文学作品を翻訳し、『域外小説集』(1909) を出版します。抑圧されていた民族への関心から東欧やロシアの文学を多く翻訳するなかで、周作人が見たところ、当時の日本ではロシア文学の翻訳者は少なく、二葉亭四迷 (1864-1909) と昇曙夢 (1878-1958) くらいしかいませんでした。その翻訳については、昇曙夢訳はまだ忠実だが、二葉亭の訳に関しては彼自身が文人であるがために訳文の芸術性が高くなり、翻訳自体も「日本化」しているので原文にあまり忠実ではないと指摘しています。周作人は丸善や相模屋など東京の書店を巡り歩いては和洋書を買い求めました。それらの書は、周作人の翻訳で世に出されただけでなく、周作人自らが愛好した「雑学」を含め、彼自身の思想の糧となっていくのでした。

「人間の文学」から民俗学、庶民文化へのまなざし

1911 年に日本人の妻羽太信子とともに帰国したのち、故郷・紹興での教員生活を経て、北京大学に職を得ます。雑誌『新青年』では、「文学革命」が提唱されるなかで、周作人訳の与謝野晶子の「貞操論」が魯迅の「狂人日記」(1918) とともに掲載されます。続いて周作人は「人間の文学」(1918) を発表します。魯迅、周作人ともに、伝統社会で抑圧されてきた「人間」の現状を、女性や子どもの境遇も含めて厳しく問い、「人間」とはいかなるものかを追究しました。周作人は、人間というものは一個体の存在であり、かつ、人類の一人でもあると捉え、「人間的な」生活や人生を描く文学を「人間の文学」と称しました。そして「人間」にとって理想的な生活を考えるなかで、日本の白樺派の活動にも関心を寄せ、宮崎県の「新しき

村」(1918年、武者小路実篤らが理想的社会を目指して設立)への訪問も果たしました。

周作人は日本を理解するには、民間伝承から入るのがよいと考え、特に柳田国男の民俗学に傾倒します。『遠野物語』(1910)が刊行されると、すぐに買い求めました。さらに日本の民芸運動を推進した柳宗悦の作品も非常に好み、柳宗悦の『和紙の美』に収められている和紙にも感銘を受けます。柳宗悦の百部限定発行の私家版『民芸と生活』も手に入れます。周作人は長年暮らした東京、それも下町の、庶民の生きざまが垣間見られる江戸の文化に強い興味と愛着を抱いていました。浮世絵については、浮世絵の主な特色は風景にあるのではなく市井の風俗にあるからこそ浮世絵と称されるのであって、これこそ私たちが見たいものである、と語っています。ここからも周作人の文化を見る目を窺うことができるでしょう。

「日本研究の店を閉じる」

日本が中国への武力侵略を進めるなか、周作人は、自ら親しんできた日本の文化と現実の日本の侵略行為の狭間で苦しみます。周作人は「日本管窺」(1935)というタイトルで4篇の日本論をしたためます。しかしながら、最初の3篇で思考が混乱してしまい、思い悩んだ結果、「日本研究の店を閉じる」という決断をします。その決意は4篇目で表明され、それは日中戦争の引き金となる盧溝橋事件(1937・7・7)が起こる直前の頃でした。これによって周作人がかつて好んだ「東洋」の夢幻のような世界は完全に打ち砕かれます。「この数年、私は心の中にいつも一つの大きな疑念を抱いている。それは日本民族に見られる矛盾した現象についてであり、今に至るまでその答えが得られない」(「日本管窺之四」。訳は引用者)。周作人は「日本」への批判を強めつつ、「日本文化」に対しては、「日本」には自分が理解できない特有の宗教的な性質があるとの結論を出して、日本研究の店を閉じると宣言したのでした。

周作人(左)と武者小路実篤(「来日した周作人と」1943年8月　武者小路実篤記念館蔵)

「日本の詩歌は和歌、俳句ともに、言葉ですべてを言い尽くすことはせずに余韻を残すことを貴ぶのであるが、ただ啄木[引用注、石川]の歌だけはその歌を取り巻く外の事情を知る必要があって、それをより詳しく知るほど情感と味わいが出てくるのである」(『知堂回想録』。訳は引用者)。戦時下の周作人については今でも様々な解釈がなされていますが、知識人として「人間」と「文化」に強いこだわりを持ち、自らを文筆に託して生き抜いた周作人。彼の作品を通して、作者の思想に触れ、個々に考える力を養っていただきたいと思います。

=さらに深く学ぶために=

・劉岸偉『東洋人の悲哀―周作人と日本』河出書房新社、1991
・周作人『日本談義集』(木山英雄編訳)、平凡社、2002
・木山英雄『周作人「対日協力」の顛末―補注『北京苦住庵記』ならびに後日編』岩波書店、2004

(吉田薫)

謝六逸

近代日中文学交流の重要人物

「謝六逸」Xie Liuyi という名前を聞いて、その人物をイメージできる人は少ないでしょう。しかし、日中文学交流史を考えようとした際に、中国に初めて体系的な日本文学史を紹介した人物として見逃せません。清 Quing 末の 1898 年に生まれ、1945 年に亡くなりますが、作家、翻訳家、研究者、編集者と多岐に亙る活動を通して近代化に向けて試行錯誤する中国に、西洋近代の新たな文学潮流を発信し続けました。その知見は、主に日本で出版された書物から得たものです。かつて中国の文化・文学から多大な影響を受けた日本文学が、今度は中国の文化・文学に刺激を与える、という新たなステージへの転換期に、日中の媒介として機能した人物に注目する意義は決して小さくありません。

謝六逸の略歴

謝六逸は 1918 年に公費留学生として来日し、翌年に早稲田大学政治経済学部に入学します。辛亥革命以後の留学生、いわゆる「日本留学組の第二世代」です。1929 年に卒業して、同年に帰国、上海の商務印書館に勤務します。日中戦争が激化した頃は故郷・貴陽 Guiyang に戻りますが、その間、上海神州 Shenzhou 大学、暨南 Jinan 大学、中国公学文学院、復旦 Fudan 大学、上海大学と、複数の教育機関に勤めました。復旦大学中国文学系に就任（1926）後、同大学新聞系を兼任（1929）し、中国ジャーナリズム教育の草分けと見なされています。抗日戦争期には、大夏 Daxia 大学、貴州 Guizhou 大学などで教鞭を執り、1945 年 8 月に 46 歳で病死しました（陳江・陳達文編『謝六逸年譜』）。

創作、外国文学の翻訳、西洋文学や日本文学に関する論述に加えて、児童文学やジャーナリズムに関する著述と多岐にわたる彼の執筆活動については、西村富美子の論文が詳細です（「日本近代文学に於ける中国文学との交流―谷崎潤一郎：謝六逸・田漢・郭沫若・欧陽予倩など」『愛知県立大学外国語学部紀要』（言語・文学編）第 32 号、2000・3）。なお、海外留学経験者がそこで得た知識・技術を国内に紹介することは、当時の中国で珍しいことではありませんが、彼に特徴的なのは、日本の近代文学のみでならず古典をも含めて日本文学と向き合ったところです。

『源氏物語』の翻訳：「日本古典文学に就て」と谷崎潤一郎「上海交遊記」

謝六逸の日本文学に対する認識が窺える資料に「日本古典文学に就て」（『改造』1925・5）があります。そこで彼は、世界文壇で注目されるようになった日本文学の研究が「東洋人―就中支那人の一個の重要なる仕事」との見解を示し、日本文化を低く見る中国の状況を批判します。日本古典では『万葉集』などの詩歌を高く評価しますが、日本人の漢詩には厳しい評価を下します。物語文学では『源氏物語』と『竹取物語』を白眉とし、『源氏物語』は作者が女性なるゆえに一層尊く、「生涯の事業の一つとする覚悟」で翻訳に取り組んでいることが述べられます。『源氏物語』を翻訳していたことは、谷崎潤一郎（1886-1965）とのエピソードで確認できます。

謝六逸と接触のあった日本人作家で注目されるのが谷崎です。彼は「北京でも上海でも新しい文士創作家に会ひたい」と、2 度（1918、1926）にわたって中国を訪問しました。1 度目の訪中でその願いは叶いませんでしたが、2 度目には上海の内山書店を訪れ、店主の内山完造（1885-1959）から「顔つなぎ会」の開催を提案されます。内山は、新進文士の代表的人物として謝六逸、田漢 Tian Han（1898-1968）、郭沫若 Guo Moruo（1892-1978）の3名を挙げ、謝六逸は日本古典を研究している人で、目下『万葉集』と『源氏物語』の翻訳に取り組んでおり、時々店に来てはそれらの不審な箇所を質問するので、大いに「マゴツク」のだと紹介しています。「顔つなぎ会」に現れた謝六逸は、「僕はあなたの弟さんを知つてゐます。僕は早稲田であの方に教はりました。精二さんは僕の先生です」と述べ、谷崎に名刺を差し出しました。谷崎は、謝六逸が早稲田に学んだこと、自身の弟で、英文学者の谷崎精二（1890-1971）の教え子であること、また上海大学教授兼神州女校校長であること知りました。

謝六逸『日本文學史』（上海北新書店、1929）

その謝六逸が1929年に出版した著書が、中国で初めて体系的に日本文学史を紹介した『日本文學史』です。日本民族の起源からプロレタリア文学までの代表的な作家・作品の解説・梗概を記すほかに、和歌や俳句に中国語訳を付しており、和歌翻訳の方面からも注目されます。日本の研究書を閲読しながら編まれた書で、末尾の「参考書目」にそれらが列挙されているため、当時の中国知識人がどのような書物によって日本文学を理解しようとしたかを窺えます。

「中古文学」の解説に絞って、この書物の特徴を見てみましょう。『日本文學史』第三章「中古文学」の総論には、謝六逸の平安時代の理解が記されています。その内容は、「平安文学に現れたのは全て歓楽世界であり、貴族は一日中、宴や歌舞をし、女性と戯れている」（原文は中国語。以下同）や「平安貴族は体質が虚弱で性格は鬱々、感情は鋭敏で動きはゆったりしていた」、「居住飲食は豪華を極め、毎日やることもなく数首の歌を作るほかに、女性を誘惑し、男女関係は特に憚りがない」と、一見すると批判的な日本文化論と取られかねない記述が散見します。ただし、これは彼特有の理解ではなく、当時の日本の研究に依拠した結果であることに注意しなければいけません。藤岡作太郎（1870-1910）『国文学全史　平安朝篇』（岩波書店、1923）の「総論　第三章　平安朝の社会」における、「平安朝の文学を見れば何ぞ悠揚たる。この世は歓楽世界なり、兜率天上なり、日日の行事は宴飲歌舞」や、「総論　第四章　日常の生活」の「平安朝の貴族は体質虚弱にして、資性沈鬱、行動に鈍にして、感情に敏なり」といった解説は、謝六逸の記述とぴたりと重なるものになっています。

『源氏物語』を考察対象とした西野入論文で詳述していますが、他にも三浦圭三（1885-1960?）・五十嵐力（1874-1947）などが、彼の時代認識や作品理解に影響を及ぼしており、中国における日本古典文学受容が、日本の研究と深く結びついて出発したことがよくわかります。謝六逸の活動全般の解明が必要なことを小田切文洋が強調するように（「謝六逸『日本文學史』をめぐって」『国際関係学部研究年報』第35集、2014・2）、今後は執筆活動全体を把握しながら、謝六逸が日本の文学に何を見出した / 見落としたのか、彼の著述がどのように中国社会に受け容れられたのか、さらに後世の新たな創造にどう繋がっていくのかなど、テクスト分析や社会文化的文脈との関係から明らかにしていくことが必要です。

＝さらに深く学ぶために＝

・陳江・陳達文編『謝六逸年譜』商務印書館、2009

・谷崎潤一郎「上海交遊記」『谷崎潤一郎全集』第12巻、中央公論新社、2017

・西野入篤男「謝六逸『日本文學史』における『源氏物語』―附〈目次・参考文献表〉」日向一雅編『源氏物語の礎』青簡舎、2012

（西野入篤男）

ケネス・レクスロス

〈絶対的自由〉を求めて

1950年代に、サンフランシスコ・ルネサンスを起こし、アメリカ合衆国の文学・芸術・文化に新たな波を起こした詩人ケネス・レクスロス Kenneth Rexroth（1905-82）は、日本文学の理解者として、日米の〈文学交流〉にも大きな足跡を残しました。サンフランシスコ・ルネサンスとは、アレン・ギンズバーグ Allen Ginsberg（1926-97）ら東海岸の若いビートニク beatnik（反体制）作家と、独自の地域文化を背景に、平和主義、アナーキズムの活動を行っていた西海岸の芸術家が合流して、保守的権力と閉塞的アメリカ社会に対抗した芸術運動です（田口哲也による）。

レクスロスは、インディアナ Indiana 州のサウスベンド South Bend で薬剤師の子として生まれました。10代前半で両親を相次いで亡くしますが、母の影響で、日本・中国の女性詩人に関心を抱きます。高等学校除籍後、独学で文学を学び、22歳の時に「サッコ＝ヴァンゼッティ事件」（イタリア移民のニコラ・サッコ Nicola Sacco とバルトロメオ・ヴァンゼッティ Bartolomeo Vanzetti が冤罪で死刑判決を下された事件）の容疑者2人の処刑に衝撃を受け、権力の横暴と社会の不正との闘いを誓いました。この年にサンフランシスコに移住し、詩人としての地位を確立するとともに、良心的兵役忌避者支援や東洋系アメリカ人の地位保護に力を尽くします。1941年に太平洋戦争が始まると、この戦争を近代文明の破壊と考え、良心的兵役拒否の立場をとり精神病院で労働奉仕をしつつ、強制収容所に送られる日系人の支援に奔走しました。戦後、1955年にシックス・ギャラリー Six Gallery で詩の朗読会を開き、サンフランシスコ・ルネサンスの幕開けを告げました。その後、カリフォルニア大学サンタバーバラ校の講師を務め、この間、ベトナムでの兵役を忌避する学生たちを支援します。また、たびたび来日し、詩人の渥美育子（元青山学院大学助教授）、諏訪優、片桐ユズル、白石かずこらと交流しました。アナーキストとして〈絶対的自由〉を求めたレクスロスは、〈普遍的責任 universal responsibility〉を意識し、社会的に弱い立場の人々にエンパシーを示すとともに、広く世界の文学に関心を寄せました。

日本古典詩歌の〈繊細な感受性〉を訳す

レクスロスは青年時代に着手した日本古典詩歌の英訳を、太平洋戦争終結まもない時期、あるいは遡って太平洋戦争期に、本格的に進めます。20世紀初頭以来、アメリカ西海岸には日本移民嫌悪の土壌があり、太平洋戦争によって激化した嫌悪は、戦後にまで尾を引いていました。その中で行われたレクスロスの日本古典詩歌の英訳は、「文明の危機」意識のもと、東洋人への偏見に抗いながら、日本古典詩歌のエッセンスをアメリカ人が共感できる〈作品〉に作り上げてゆく孤独な闘いであったのです。その英訳は『日本詩歌百選』（*One Hundred Poems from the Japanese*）として、シックス・ギャラリーの朗読会と同じ年に出版されました。翌年には『中国詩歌百選』（*One Hundred Poems from the Chinese*）も出版します。

レクスロスが伝えたかった日本古典詩歌のエッセンスとは、〈繊細な感受性〉です。『日本詩歌百選』出版と同時期の書評で、レクスロスは、日本古典文学が、排泄と性、広く言えば生々しい肉体に根ざした幅広い人間性を欠き、今はローカルに見えるが、その〈繊細な感受性〉が新しい文化統合体 cultural synthesis を形作り始めている、と言いました。レクスロスは、世界の文学にとって不可欠の要素と考えた〈繊細な感受性〉を伝えるために、日本古典詩歌の英訳にありがちな説明の付加を避け、「最大限の圧縮」をめざしました。説明の付加は、密度の高さと凝縮性を損(そこ)ない、日本古典詩歌を〈感傷〉に陥(おちい)らせると考えたからです（『日本詩歌百選』序文)。その武器が、(1) 縮約（原文のことばを省略して、最小限の意味を伝える)、(2) 並置（短歌の上句と下句を論理的に関係付けずに並べる)、(3) 対比（意味やイメージの対立を際立たせる）という方法でした。

たとえば、大伴家持(おおとものやかもち)の繊細な「春愁(しゅんしゅう)の歌」の①「春の野に　霞(かすみ)たなびき　うらがなし　この夕影(ゆうかげ)に　鶯(うぐいす)鳴くも（春の野に霞がたなびいて、心の中は切ない、この夕方の光の中に、鶯が鳴く…)」と②「我(わ)がやどの　いささ群竹(むらたけ)　吹く風の　音(おと)のかそけき　この夕(ゆうべ)かも（我が家(や)の庭の、わずかばかりの叢竹(むらたけ)に吹く風の音がかすかな、この夕方であるよ)」を以下のように訳しました（日本語訳は小松)。

①	Mist floats on the Spring meadow.	（春の草地に霧が漂う）
	My heart is lonely.	（私の心は寂しい）
	A nightingale sings in the dusk.	（薄暮(はくぼ)の中でサヨナキドリが鳴く）
②	The wind rustles the bamboos.	（風が竹をさらさらと鳴らす）
	By my window in the dusk.	（薄暮に私の窓のそばで）

①の原歌は、霞や鶯の声と悲しみに明確な因果関係を設けずに、捉えどころのない愁(うれ)いを表現しています。レクスロスの訳は、(2) 並置を用い、霧と寂しさとサヨナキドリの声をそれぞれ1文に訳し、それらの関係は明示しません。②の原歌は、かすかな風の音のみを表現し、それに耳を澄ます家持の孤独の深さを暗示します。レクスロスの訳は、(1) 縮約を用い、「いささ」、「かそけき」、「この」という微妙な表現は訳さずに、事実のみを端的に述べます。レクスロスは、小さな自然の動きや心情をクリアに表現しつつ意図的に余白を作り、それを読者の想像に委(ゆだ)ねることで、日本古典詩歌の〈繊細な感受性〉を捉えようとしたのです。

レクスロス文学の極北としての短詩

レクスロスは本来長詩の詩人でしたが、晩年には、自分と架空の日本女性摩利支子(まりちこ)との短詩の贈答作品や、「銀色のスワン」“The Silver Swan” という章題の短詩群を作ります。その1編はレクスロス文学の極北と言えます（片桐ユズル訳)。

As the full moon rises	（満月がのぼり）
The swan sings	（白鳥がうたう）
In sleep	（夢のなか）
On the lake of the mind	（こころの湖上）

白鳥は死ぬ間際に最も美しい歌をうたうという伝説を踏まえた、瞑想的な作品です。

なお、レクスロスの1万点を超える蔵書は、日本の神田外語大学図書館に所蔵されています。

＝さらに深く学ぶために＝

・田口哲也『ケネス・レクスロス中心の現代対抗文化』国文社、2015
・『レクスロス詩集』（ジョン・ソルト、田口哲也、青木映子編訳)、現代詩文庫、思潮社、2017
・小松靖彦「万葉集翻訳の創造性―ケネス・レクスロスの翻訳の詩学」『国語と国文学』第96巻第11号、2019・11

（小松靖彦）

— *column* — スレチュコ・コソヴェル

スレチュコ・コソヴェル Srečko Kosovel（1904-26）は、スロベニアを代表する近代詩人の一人です。イタリアとの国境に近いセジャナ Sežana で、小学校教師の子として生まれました。父の転任でトマイ Tomaj に移り幼少期を過ごします。1916 年に首都リュブリャーナ Ljubljana の高校、次いでリュブリャーナ大学に進学します。コソヴェルは、22 年という短い生涯の間に、印象主義、表現主義、構成主義というヨーロッパ近代詩の潮流を駆け抜け、スロベニア語詩の近代化を一挙に進めました。

コソヴェルの作品は、日本の詩歌に通じるものがあります。彼は、西欧と東欧の十字路スロベニアで、過去のヨーロッパと未来のアジアの政治的・文化的様式全てが内に含まれるエキサイティングな時代を生きていると意識し、アジアに関心を寄せました。「緑のインドで」“V zeleni Indiji” では、インドの詩人ラビンドラナート・タゴール Rabindranath Tagore を中心に同心円状に広がる永遠の生命を歌います。日本と直接的な接点はありませんでしたが、コソヴェルは、日本文学とさまざまに関わった 20 世紀前半のヨーロッパの文学運動の圏内にいました。

コソヴェルは初期に、石灰岩が浸食された奇景に黒松が茂り、ブルヤ burja という強風の吹く、故郷のクラス Kras 地方（カルスト地方）の風景、特にその秋・月・風・花の香を、光、色彩、音（静寂）、〈死〉によって描き出す短い詩を作りました。たとえば、「シクラメン」“Cikrame” は、月の銀の輝きが溢（あふ）れ、人音絶えた夜の静寂（しじま）の谷に、ただシクラメンの甘い香が漂うことを歌います。コソヴェル自身は、初期の作品を「印象主義」（物の輪郭によって雰囲気を呼び起こすことと説明）と呼んでいます。しかし、その〈簡潔さと暗示性〉は日本の和歌や発句（ほっく）に刺激されたイマジズム Imagism の特徴です。また、『新古今和歌集（しんこきんわかしゅう）』に通じる沈黙・余白・余情は〈詩における自然と沈黙〉という普遍的テーマを考える手がかりとなるものです。

第一次世界大戦をオーストリア＝ハンガリー帝国の一員として戦ったスロベニア人は、戦後に「セルビア人・クロアチア人・スロベニア人王国」を建国します。1920 年、この国はイタリアと結んだラパッロ条約により、イストリア半島などを割譲させられました。クラス地方の一部も含まれ、コソヴェルは大きな衝撃を受けます。この前後から内面の表出を重視する表現主義へと転じ、〈死〉や文明の崩壊に関心を寄せました。亡くなる 1、2 年前には、セルビアの前衛雑誌『頂点』*Zenit* を通じて知った構成主義へと向かい、伝統的な素材や表現に囚（とら）われず、内容に生き生きとした外形を与えることを試みます。「灰色」“Sivo” は、図形によって、バルカン半島の危機的状況を乗り越える手立てを考えた詩です。構成主義は同時代の日本の詩人・村山知義（むらやまともよし）（『頂点』を日本に紹介）、萩原恭次郎（はぎわらきょうじろう）、北園克衛（きたぞのかつえ）らにも強い影響を与えています。彼らとコソヴェルの比較によって〈詩における内容と外形〉の問題を再考することができるはずです。

＝さらに深く学ぶために＝

・*The Golden Boat: Selected Poems of Srečko Kosovel*. Trans. Bert Pribac and David Brooks. Cromer: Salt Publishing, 2008

・Vrečko, Janez. *Constructivism and Kosovel.* Trans. David Limon. Ljubljana: Ljubljana University Press, 2015

（小松靖彦）

― *column* ― 植民地朝鮮から青山学院に留学した詩人たち

小説家・大岡昇平（1909-88）の自伝小説『少年』（筑摩書房、1975）に、青山学院中学部で、朴さん、金さんという朝鮮の留学生とともに学んだことが記されています。佐藤由美の調査によると、青山学院には1911～48年に延べ205名の朝鮮の留学生が在籍しています（「青山学院と戦前の台湾・朝鮮からの留学生」『日本教育史学』第47集、2004・10）。大岡の中等部入学の2年後、1923年9月に関東大震災が起こりました。その混乱のなか、井戸に毒を入れたという流言によって、多勢の朝鮮人が虐殺されました。青山学院は神学部寄宿舎に多くの朝鮮人を匿い、夜警団を組織し暴行から護りました。そして震災後も、朝鮮からの留学生の受け入れを継続しました。

留学生の中に、詩人として韓国近現代文学史に大きな足跡を残した人々がいます。彼らは優れた日本語力・英語力によってモダニズムを会得しながら、朝鮮の現実を鋭く意識し、植民地支配を拒否する姿勢を貫きました（引用した詩の原文は韓国語・朝鮮語。「青柿」のみ全文で、他は部分）。

金永郎 김영랑（金允植 김윤식 1903-50）は、1920年に中学部3年に編入学、1922年4月に高等部英文科に進学するも、関東大震災により留学を中断し、1924年春に朝鮮に戻りました。朴龍喆 박용철（1904-38）は、1921年または22年に中学部4年に編入学、1923年3月に卒業し、4月に東京外国語学校（現在の東京外国語大学）本科独語部に入学しますが、関東大震災により日本を離れ、延禧専門学校（現在の延世大学校）に編入学しました。青山学院で知り合った二人は、総督府が民族運動への弾圧を強めるなか、『詩文学』を創刊し、純粋な抒情詩の確立をめざしました。金永郎は、出身地全羅道の方言を独自のリズムに乗せつつ、精錬された詩語を用いて、自然の中の幸いと孤独を表現しました。「あらゆる災いがすべて降りかかっても／私の胸に残っている温かな気運がある」と詠う絶筆「五月の口惜しさ」はその極北です。朴龍喆は、「身体はそのまま青白い光を放つ燐光。」（「冷たい額」）と言い、孤高な精神を形象化しました。

関東大震災後の1925年に、金東鳴 김동명（1900-68）は神学部に入学しました（1928年3月、神学部別科卒業）。卒業後は咸興などで教員を務め、解放後は北朝鮮で朝鮮民主党委員となりますが、身に危険が迫り韓国に渡って、梨花女子大学教授などを歴任しました。聖書を基礎に、「こころ静かに／燃えつきてさしあげましょう」と思い人への献身的愛を詠った「こころ」などがあります（「こころ」の金素雲 김소운の日本語の訳に、その孫でアーティスト沢知恵が曲を付けています）。

白石 백석（白夔行 백기행 1912-96）は、1930年4月に高等部英語師範科に入学し、1934年3月に優秀な成績で卒業。朝鮮日報社に入社、その後、咸興で金東鳴と同僚の教員となります。解放後は北朝鮮の平壌で翻訳と創作に従事するも、共同農場に追放されて生涯を終えました。出身地平安道の方言を用い、「星ぼしの夜／西風が吹き／青い柿が落ちる　犬が哮り立つ」（「青柿」）など、朝鮮の自然と民衆の暮らしを、堅牢で鮮明なイメージで表現した作品を集めた詩集『鹿』사슴（私家版、1936）は、今もなお韓国の詩人たちに影響を与えています。

＝さらに深く学ぶために＝

・『金永郎詩集』（韓成禮編訳）、土曜美術社出版販売、2019
・『詩集　朴龍喆詩選』（李承淳訳）、花神社、2004
・アンドヒョン『詩人　白石―寄る辺なく気高くさみしく』（五十嵐真希訳）、新泉社、2022
・『再訳　朝鮮詩集』（金時鐘訳）、岩波書店、2007

（小松靖彦）

V 〈文学交流〉の広がり

〈文学交流〉としての神話

日本とギリシアの神話の類似

世界の神話には、似た話が多く出てきます。その類似が何によってもたらされるかは、一つ一つの事例について慎重に検討する必要があり、世界中の神話の類似を一つの方法によって解決する「魔法」は存在しません。そのことを前提として、ここでは日本の神話と世界の他の地域の神話との類似について考えていきたいと思います。

『古事記』の冒頭にイザナキとイザナミの夫婦の話があります。イザナミが火の神を産んだために死んで黄泉の国に行くと、イザナキは妻を追って黄泉の国に行き、一緒に地上に帰ろうと言う。イザナミは、もう黄泉の国の食べ物を食べてしまったから帰ることはできないが、せっかくこうして来てくれたのだから、黄泉の国の神と相談してみましょう、と言い、「ただしその間、絶対に私の姿を見ないでくださいね」と言って御殿の中に入っていく。イザナキはしばらく待っているが、とうとう待ちきれなくなり、御殿の中を覗くと、イザナミの身体は蛆がわき、雷が発生している、醜く恐ろしい姿に変わり果てていた。イザナキは逃げ、見られたことに気づいたイザナミはヨモツシコメという黄泉の国の鬼女たちにイザナキを追いかけさせる。イザナキは身に着けていた櫛や髪飾りを後ろに投げる。するとそれが葡萄や筍に変わって追手を阻む。その間に黄泉の国と地上の間にあるヨモツヒラサカにやって来て、そこに生えていた桃の実を取って投げると、ヨモツシコメらはみな退散した。するとこんどはイザナミ自身が追いかけてきた。イザナキは大きな岩で坂を塞ぎ、そこで二人は最後の言葉を交わし合った。イザナミが「わたしはあなたの国の人々を一日に千人殺しましょう」と言うと、イザナキは「それなら私は一日に千五百の産屋を建てよう」と言って、人間の死と増殖が定められた。

この話は、よく知られていることですが、まずギリシアの神話とよく似ています。オルペウスという楽人の話です。妻のエウリュディケが蛇にかまれてうら若い命を落としたので、オルペウスは妻を追って冥界に行き、冥府の王と王妃の前で琴を奏でて亡き妻を慕う歌を歌う。すると冥府の王と王妃は心を動かされ、峻厳な冥府の掟をまげて、特別にエウリュディケを連れ帰る許可を与える。しかしこれには条件が付けられており、冥府を出るまでは、振り返って妻の姿を見てはならない、というものだった。オルペウスは喜びいさんで妻を連れて地上に向かうが、もうすぐ地上に出られるというところで、どうしても心配になり、後ろを振り返ってしまった。エウリュディケはその瞬間に、冥府に引き戻された。オルペウスは一人、地上に帰らなければならなくなった。

イザナキもオルペウスも、死んだ妻を追って黄泉の国に行き、どちらも「妻の姿を見てはならない」という禁止を課されるが、それを破ってしまい、そのために一人で地上に帰ることになった、というように、話の基本的な筋が一致しています。イザナキの話は、また別の箇所で、ギリシアの神話に似ているところがあります。「ヨモツヘグヒ」、つまり黄泉の国で食べ物を食べてしまったから地上に帰ることができなくなった、という部分です。ギリシア神話で冥府の王ハデスに誘拐されたペルセポネが、地上に帰れることがわかった時に、ハデスによって口の中に柘榴の実を含ませられる。冥府で食べ物を口にしてしまったペルセポネは完全に冥府との関わりを断つことができず、1年の三分の一は冥府でハデスの王妃として暮らすことになった。

このモチーフは必ずしも日本とギリシアにだけ認められるものではなく、かなり広い分布を示しますが、モチーフが現われる状況も似ていることや、先述のオルペウスの話も併せて考えると、ギリシア神話と日本神話の間に何らかの系統的な関連を想定するのが最も自然と思われます。ギリシアからユーラシア内陸の騎馬遊牧民族に神話が伝わり、ユーラシアを西から東に移動して、朝鮮半島に伝わり、そこから日本に伝来したものと考えられています。神話は、地理的に遠く離れていても、このように伝播によって互いに似る、ということがよくあるのです。

南海地域の神話とのつながり

ところで、このイザナキとイザナミの話に似た神話は、日本の南に位置するニュージーランドにも確認できます。タネ神が自分の娘ヒネと結婚して子を成すが、ヒネは自分の夫が自分の父であることを恥じて自殺して地下の世界に行く。タネはヒネを追いかけて地下の世界へ行くが、ヒネは夫とともに地上に帰ることをにべもなく断り、自分は死の女神となって人間を地下の世界に引き入れるが、タネには地上で子孫を養うことを勧める。こうしてタネは仕方なく一人で地上に帰った。

この話のように、「原初に起こった二柱の神の言い争いの結果、世界に死が導入された」とする神話は、北アジアからアメリカ大陸にかけて分布しており、元来は北方の狩猟採集民の文化の中で発生しました。そしてこの神話が冥界訪問の話と結び付けられたのは、中国中南部においてであり、そこから日本とニュージーランドに伝播したと考えられています。

日本神話とインド神話

ここまで、吉田敦彦『ギリシァ神話と日本神話』（みすず書房、1974）に基づいて神話の類似を紹介してきましたが、最後に、私自身が課題としている日本とインドの神話の類似を取り上げたいと思います。イザナキとイザナミが最初に産んだ子であるヒルコは、『日本書紀』によれば3年経っても脚の立たない神であったので、葦舟に乗せられて流されました。ところがこの「ヒルコ」、名前がアマテラスの別名である「ヒルメ」と対をなしており、「太陽の男」の意に取ることができます。つまりヒルコは、もともとは舟に乗って天空を旅する太陽神であったかもしれないのです。一方、インドにはアルナという曙の神がいます。アルナは卵で生まれてきたのですが、なかなか孵らなかったので母である女神ヴィナターが時期尚早に卵を割ってしまう。そのためにアルナは脚が出来上がらないまま生まれてしまいました。このアルナは太陽神の御者となりました。日本でもインドでも、太陽や曙など、太陽に関わる神格の「脚」が不自由であるというのです。

これに関して思い起こすのは、ニュージーランドの神話で、いたずら者のマウイが太陽をぼこぼこに殴ったので、以来太陽はゆっくりと空を渡る、という話です。つまり、太陽はゆっくりと空を渡る、それは太陽の足が不自由だからだ、という連想が共通して働いたために、似たモチーフが各地域の神話に現われているのかもしれません。ただしインドと日本の神話に関しては、他にも注目すべき類似が確認されており、仏教による媒介がない段階で系統的な関連があったのかどうか、今後の研究の進展が待たれるところです。

＝さらに深く学ぶために＝

・沖田瑞穂『世界の神話』岩波ジュニア新書、岩波書店、2019

・沖田瑞穂『インド神話』岩波少年文庫、岩波書店、2020

（沖田瑞穂）

アジアの説話交流

日本に伝わった「猿の生き肝」

昔話「猿の生き肝」は、世界中で広く知られている話の一つで、原拠のインド説話が中国へ、そして日本や朝鮮へと伝わりました。日本では平安時代の説話集『注好選』や『今昔物語集』、鎌倉時代の仏教説話集『沙石集』にも類似する話が収められているほか、日本各地の伝説・昔話にも「海月骨なし」などの類話が多数存在します。

『注好選』下巻の十三話「猿は退きて海底の菓を嘲る」のあらすじを見てみましょう。昔、海辺の山に一匹の猿が住んでおり、その海底には亀の夫婦が暮らしていました。妻の亀は懐妊しますが、病のため、安産できません。妻は薬として猿の生き肝を望みます。夫の亀は「菓が絶えない林がある」と猿をだまして海中に連れていきます。亀が途中で事情を打ち明けると猿は、「肝はいつも木にかけて置いてある」と言います。亀が猿を連れ山に戻ると、猿は逃げ出し、「吾は墓無し。海中に菓有らむや。亀は墓無し。身を離れて肝有らむや」と言います。「墓無し」は愚かという意味で、猿は自らと亀の行動を愚かなことであったと自戒の意を込めて語っています。末尾には、「此の譬へは即ち亀とは提婆達多なり。猿とは尺迦如来なり」とあり、釈迦の従弟・提婆達多の釈迦殺害計画を前世の話に託して語る仏教説話に依拠したことがわかります。この話の原拠は、インドの経典の漢訳『生経』一「仏説鼈獼猴経」第十か『六度集経』四の三十六話ではないかといわれています。『今昔物語集』巻5第二十五の「亀為猿被謀語」では、提婆達多と釈迦の話は省かれ、「昔モ獣ハカク墓無クゾ有ケル。人モ愚痴ナルハ此等ガ如シ」と結ばれています。動物に託して人間の愚かさを戒める話となっています。

インドの「猿の生き肝」

では、この説話の出発地である古代インドの説話集『パンチャタントラ』*Pañcatantra* と仏教説話集『ジャータカ』*Jātaka* の話はどのようになっているか、確認してみましょう。『パンチャタントラ』は王侯、大臣に必要な政治・処世の術策を説くためのもので、諸言語に訳され、広く各国の説話文学に影響を与えました。一方の『ジャータカ』は、輪廻応報の思想をもとに、釈迦の前世における善行功徳の様子を記しており、本生譚、本生経ともいいます。

『パンチャタントラ』の「猿の生き肝」の話は、第4巻「獲得物喪失の巻」に収められています。巻頭には「その要あるときに、沈着な心を保つのは、困難を征服す」という格言が付されています。「猿の生き肝」の話は、亀ではなく海豚が登場します。夫の海豚は陸の猿と仲良くなり果物をもらいます。ある日果物を持ち帰り妻に食べさせると、妻は普段からこの果物を食べている猿の心臓が食べたいと言い出します。夫は妻に猿との仲を嫉妬され、仕方なく妻の望みを聞き入れます。しかし猿の心臓を得ることに失敗し、猿には裏切り者と罵られます。さらには妻が悪女だと悟って殺害する展開になっています。裏切りや理不尽な要求、嫉妬がもたらす結果にも焦点が当てられています。『ジャータカ』には「猿の生き肝」の話が4話あり、三四二話「猿前生物語」では、提婆達多による釈迦殺害計画を、前世の姿である猿（釈迦）と鰐（提婆達多）の話にたとえ、釈迦の知恵、賢明さを讃えています。

中国において漢訳された「猿の生き肝」

漢訳仏典を集成した「大蔵経」が宋 Song の時代に出版され、987年に日本に伝わります。

「大蔵経」の本縁部には説話的側面を持つ比喩譚・因縁譚・本生譚が収められており、『六度集経』と『生経』はここに位置する経典です。『六度集経』四の三十六話には、次の話が記されています。昔、菩薩が兄弟で他国へ行った時、その国の王が弟に王女を嫁がせます。しかし、王はあとから来た兄の堂々とした容貌を見て、弟ではなく兄に王女を嫁がせようとしますが、兄に断わられます。それを恨んだ王女が、兄の肝を食べてやると呪います。その後転生して兄が猿に、弟と王女が鼈の夫婦となります。その展開は「猿の生き肝」の話と同じです。末尾には、釈迦が比丘たちにこの話について語る場面が設けられています。鼈の身となった弟と王女は提婆達多とその妻で、兄は私自身で、常に貞潔を守ったが、宿世の禍いを終わらせるために猿の身に落ちたのだと話します。志をしっかりと持つことによって悟りの境地に至ることができ、持戒はこのように行うものであると語って聞かせます。一方『生経』には、次の話が載っています。比丘たちが、暴志比丘尼（釈迦の子を妊娠したと偽り、謗った者）が釈迦を誹謗した理由について議論していました。釈迦は、暴志比丘尼は前世では鼈の妻であり、嫉妬から夫の友人である猿の生き肝を取ろうとした話を語って聞かせます。猿と鼈が親しい仲となったものの、裏切ってしまうという話で先の『パンチャタントラ』の話に近い内容です。

韓国に伝わり「うさぎの生き肝」へ

この話は、韓国（朝鮮）では、猿の代わりにうさぎが登場する話「亀兎구토説話」として知られています。朝鮮時代における亀兎説話は、語り物の芸能であるパンソリ판소리（民族芸能。太鼓に合わせ物語を歌唱）『水宮歌』수궁가、『鼈主簿伝』별주부전になったり、また、パンソリ系小説『兎生伝』토생전、『兎伝』토끼전へと展開したりしました。

『三国史記』（1145）に収められた亀兎説話では、亀が龍王の娘の治療に必要なうさぎの肝臓を取りに陸に向かうという展開で、原拠の宗教的な要素は後退しています。この話は巻41、「列伝金庾信김유신上」に登場します。642年、新羅신라の金春秋김춘추は娘と婿が百済백제軍に殺害されたことから、百済に報復するため、高句麗고구려へ救援を求めに行きます。ところが、金春秋は、高句麗の王から新羅に奪われた高句麗の領土の返還を迫られ、これを断ったことで捕らわれてしまいます。金春秋が青布300歩（歩は長さの単位）を高句麗の王の寵臣である先道解선도해に賄賂として渡したところ、先道解が聞かせたのがこの亀兎説話です。この話を聞いた金春秋は、領土の返還を新羅の王に要請する、と高句麗の王を偽り、高句麗から逃れることができました。うさぎが難を逃れた方法にヒントを得て、金春秋が危機を逃れた話となっているのです。その後の朝鮮時代の、社会風刺や封建社会に対する批判を特徴とするパンソリや小説では、龍王が陸の民に犠牲を強要する話となっており、「猿の生き肝」は、朝鮮において腐敗した支配層に対する被支配層の批判意識の表出として脚色され享受されました。

作られた時代背景や読者層の違いによって、宗教や訓蒙、さらに社会風刺の要素を盛り込み脚色されていくという、受容の変化を知ることも説話を読む楽しみの一つといえるでしょう。

＝さらに深く学ぶために＝
・河野貴美子「東アジアの資料学の観点からみた説話研究」『説話文学研究』第48号、2013・7
・小峯和明編『東アジアの今昔物語集―翻訳・変成・予言』勉誠出版、2012

（韓京子）

日本と中央アジアの伝承の類似

歴史的・地理学的方法論などとアールネ・トンプソン・ウター・インデックス

世界中の神話や民話等を読んでみると、遠く離れた地域の伝承であっても、似たものが存在することに気づきます。こうした類話の詳細な比較研究は19世紀末頃から始まり、各神話・民話の起源追及が、世界中の神話学者・民俗学者が関心を持つ研究課題の一つとなりました。

神話や民話の起源の研究は、それらを構成によって分類することが、最も基本的作業となります。この作業を発展させて、各類話の起源や伝播（でんぱ）経路を追究する歴史的・地理学的方法論を提唱したのは、フィンランド民俗学の創始者と呼べるジュリウス・クローン Julius Krohn とその子の民俗学者カールレ・クローン Kaarle Krohn です。カールレ・クローンの弟子でフィンランドの民俗学者アンティ・アールネ Antti Aaarne はこの方法を実践し、1910年に最初の分類体系をまとめました。のちにアメリカの民俗学者ステイス・トンプソン（トムソン）Stith Thompson が増補・改訂し、アールネ・トンプソンのタイプ・インデックス Aarne-Thompson（AT分類）が誕生しました。現在ではAT分類も更新され、ドイツの民俗学者ハンス・＝イェルク・ウター Hans-Jörg Uther のアールネ・トンプソン・ウター・インデックス Aarne-Thompson-Uther（ATU分類）が、神話・民話の標準的分類体系として世界で用いられています。アメリカや中国、日本などでは、AT・ATU分類に倣（なら）い、地域独自の分類体系も作成されています。類話の起源を探る研究も各地で進められてきましたが、その多くは依然として謎に包まれています。

話型〈帰還した夫〉とは

> 夫（恋人）が遠方を旅している（牢獄（ろうごく）に入っている）間に、別の人物がその妻に結婚を迫る。（乞食に変装した）夫は結婚の日に帰還する。夫は（彼女が知っている指輪を見せて）妻に正体を明かし、その家の動物（馬、犬）に感知される、あるいは、（家の造りや夫の体の特徴について）女（妻）の問いに正確に答える。最後に主人公が敵に復讐（ふくしゅう）をする。

このモチーフの伝承は、〈帰還した夫〉'Homecoming Husband' と呼ばれる話型（ATU974）に分類されます。この話型の伝承には、古代ギリシアの『オデュッセイア』*Odysseia*、中央アジアの『アルポミシュ』*Alpomish*、チベット、モンゴル、内モンゴルなど、内陸アジアに流布した『ゲセル王物語』、韓国の『春香伝（チュニャンジョン）』춘향전、日本の『百合若大臣（ゆりわかだいじん）』などが該当します。類話の起源について、民俗学では二つの仮説が有力視されています。一つは、ある地域で誕生した物語が各地に伝播・拡散していった結果とみる一元発生説 Monogenesis、もう一つは人類の普遍的な思念・感性によって物語が生み出された結果とみる多元発生説 Polygenesis です。さらに、一つ一つの物語が誕生して発展していく道が異なるとして、両者の仮説を認める見解もあります。諸民族の〈帰還した夫〉は、一元発生説と多元発生説のどちらで説明できるのでしょうか。

『百合若大臣』と『アルポミシュ』

『百合若大臣』の成立については、坪内逍遙（つぼうちしょうよう）の『オデュッセイア』翻案説や津田左右吉（つだそうきち）の国内発生説などさまざま仮説が立てられました。また、共通モチーフを持つものとして、インドの『マハーバーラタ』*Mahābhārata* や仏典の「善事太子（ぜんじたいし）と悪事太子の物語」、中国の『白兎記（はくとき）』Baituji、「凱剛と凱諾の物語」、「兄と弟」など、多くの伝承が紹介されてきました。中央アジアの『アルポミシュ』も、大林太良（おおばやしたりょう）と福田晃（ふくたあきら）に取り上げられたことがあります。

『アルポミシュ』は、ウズベキスタン、カザフスタン、トルコなど、広大なユーラシアの大地に口頭伝承として伝わり、遅くとも11世紀初期までに中央アジアあるいはアルタイ地方において発生した英雄叙事詩です。この伝承は、『百合若大臣』の源流として注目される古代ギリシアの『オデュッセイア』と仏典の「善事太子と悪事太子の物語」の特徴をあわせ持ちます。『アルポミシュ』と『百合若大臣』は個々のモチーフのみならず、それらのモチーフの組み合わせで構成されるプロットまで著しく似ています。民俗学では、簡単な物語が世界各地で個々に自然発生する可能性はあるものの、プロットにおけるモチーフの組み合わせが複雑で、プロットを構成するモチーフが多いほど、伝播の可能性が高いと見ます。

最近まで、中央アジアと日本の書承文学・口承文学を詳細に比較しようとする試みはなされませんでした。現在の中央アジアと日本に文化上の共通点が少ないことや、中央アジアの言語自体が日本に馴染(なじ)みのないものであることが、その要因かもしれません。しかし、中央アジアと日本はシルクロードのような交易・文化ルートによって繋がっていた時期があります。日本の文化・文学形成の基盤となった仏教も中央アジアを経て日本に伝わりました。中央アジアと日本の書承文学・口承文学の間に何らかの形で交流があった可能性も一概に否定はできません。

中間地域の〈帰還した夫〉

昔から西洋と東洋の交流が行われてきた中央アジアでは、文化の混合は一般的な現象です。古代の例に、ギリシア文化とアジア文化との接触により生まれたガンダーラ美術があります。『アルポミシュ』のもととなった、いわゆる原「アルポミシュ」も、ガンダーラ美術のように西洋と東洋の伝承が中央アジアにおいて出合った結果生まれたのではないでしょうか。中央アジアに生まれた原「アルポミシュ」は大陸内交易・文化ルートによりさらに東に伝播し、最終的に日本に辿(たど)りつき、『百合若大臣』のような伝承のもととなったことが想定できます。『アルポミシュ』と『百合若大臣』の酷似(こくじ)は、一元発生説に依拠すると辻褄(つじつま)が合うように思われます。

しかし、中央アジアと日本の間の諸地域には両話ほど共通モチーフの多い類話が確認されておりません。それが、一元発生説を否定する根拠の一つとされてきました。ところが近年、この中間地域における〈帰還した夫〉の存在が確認されました。それが『ゲセル王物語』と『春香伝』です。前者は、中国チベット族地方（チベット自治区全域、青海(チンハイ) Qinghai、甘粛(かんしゅく) Gansu、四川(しせん) Sichuan、雲南(うんなん) Yunnan各省の一部地域）、内モンゴル、モンゴル、満州など、極めて広範囲に伝播した伝承です。後者は韓国の伝承です。『百合若大臣』の研究者のほとんどが主に日本語を用いる研究者だったためか、これらの地域の伝承の存在自体が見逃がされていました。こうした伝承の調査・研究は、現時点で不足している「鎖の輪」を補い、民俗学の総合理論に貢献するだけでなく、それぞれの地域の〈帰還した夫〉の特徴、伝承が伝播した地域やそれらの地域を繋ぐ共通思想や民族間の文化交流史を理解する上でも重要な示唆(しさ)となるでしょう。

＝さらに深く学ぶために＝

- 福田晃、金賛會、百田弥栄子編『鷹・鍛冶の文化を拓く百合若大臣』三弥井書店、2015
- ハルミルザエヴァ・サイダ「話型〈帰還した夫〉の成立と伝播―『オデュッセイア』から『百合若大臣』まで」『軍記と語り物』第53号、2017・3
- ハルミルザエヴァ・サイダ「アジア大陸の〈帰還した夫〉―『ゲセル』と『アルポミシュ』をめぐって」『国際日本学』第17号、2020・3

（ハルミルザエヴァ・サイダ）

インド僧・菩提遷那の〈文学交流〉――天平文化と『南天竺婆羅門僧正碑并序』

初めて日本に来たインド僧

菩提遷那像
（大安寺蔵）

8世紀、ブッダの国インドから「流沙（タクラマカン沙漠）」を越え、「滄海」を渡って平城京の大安寺に住んだ南天竺婆羅門僧正、菩提遷那。南インドのバラモン（カースト制最上位の僧侶）ボディセーナBodhisenaは、インドでは〈インドと日本の交流の象徴〉として有名です。彼と日本人の〈文学交流〉は東大寺大仏開眼会を彩り、光明皇太后の『国家珍宝帳』願文や法華寺阿弥陀浄土院、日本最初の伝記文学『南天竺婆羅門僧正碑并序』を生みだします。

「墓誌」と伝

伝（伝記）とは、人の生涯の事績をつづった文章です。古代、官人の死亡届は氏族から官に提出され、その一部は『日本書紀』に続く正史『続日本紀』に官人薨卒記事として記載されました。しかし、いずれも短文で、伝と呼べるほどの豊かな内容はありません。

一方、中国では漢代から長文の「墓誌」が作られていました。2004年、日本の入唐留学生「井真成」の「墓誌」が中国・西安で発見されます。「井真成」の「井」は葛井（白猪）氏、井上氏の2説が有力です。彼は698年に生まれ、717年19歳の時、阿倍仲麻呂、吉備真備、僧玄昉らとともに入唐留学し、734年、帰国を目前に36歳で急死したのです。「墓誌」には「彼の亡骸は唐土に埋葬したが、魂は故郷の日本へ帰りますように」と哀切な望郷の辞が記されています。

菩提遷那の来朝

「井真成」が乗るはずだった遣唐使船で日本に渡ったのが、菩提遷那です。この時の遣唐使船団4隻は、洋上で暴風遭難の悲劇に見舞われます。『南天竺婆羅門僧正碑并序』は、命の危機が迫るなか、菩提遷那が禅定に入り一心に仏を念じると、ぴたりと嵐が静まり、遣唐大使多治比広成の船が平城京に帰着し、歓待されたことを述べています。その文に中国高僧伝『梁高僧伝』の『華厳経』伝来史に関わる法顕、智厳、仏駄跋陀羅の伝を借用するのは、菩提遷那の住んだ大安寺が、東大寺の盧舎那仏建立にむけた『華厳経』研究機関だったからです。

さらに、この渡海行を『梁高僧伝』の〈訳経〉の高僧と比較して、「昔、迦葉摩騰と竺法蘭、仏図澄と鳩摩羅什は震旦（中国）には到ったが、未だ日本の土を踏んだ者はいない。菩提遷那が踏破した旅路の距離と苦難に比べれば、彼らは恥じ入るばかりだ」と述べます。菩提遷那には〈訳経〉も著作もありません。そこで、弟子僧たちは、西域から中国に経典を伝えて漢訳した中国高僧の〈伝訳〉、〈訳経〉の功績よりも、菩提遷那のインドから日本という絶大な旅路の距離の遠さをことさらに強調して、独自の新たな〈遠来〉の高僧という価値を創出したのです。

天竺〜西域〜唐〜日本をつなぐ〈文学交流〉

ブッダの国インドから来朝した菩提遷那は〈仏教東流〉の象徴として、752年4月9日東大寺大仏開眼供養会で、聖武太上天皇に代わって開眼導師を務めます。この日、彼が大仏の眼を入れた「開眼筆」と、大仏に結縁するために聖武太上天皇・光明皇太后・孝謙天皇以下、官人たちが手にした「開眼縷」（筆に結び付けられた紐）は、今も正倉院宝物として伝存しています。

渡来僧の伝の主な典拠は、『梁高僧伝』のほか、玄奘三蔵伝『大唐大慈恩寺三蔵法師伝』（特に後半の上表文（じょうひょうぶん））等です。756年6月21日聖武太上天皇の七七忌（しちしちき）に、遺愛の品を東大寺に献納した光明皇太后は、玄奘「『西域記』を進（たてまつ）るの表」の「流沙滄海（そうかい）」を踏まえて、『国家珍宝帳』願文に「聖武天皇の名声が天竺に届いたので菩提僧正は流沙を渉（わた）って遠く到り、振旦（中国）にその徳が及んだので鑑真和上（がんじんわじょう）は滄海を凌（しの）いで遥かに来（きた）った」と記します。異国僧の来朝は天皇の徳化により、玄奘三蔵の西域行はシルクロードの最東端日本に到る苦難の旅のモデルでした。

日本最初の伝記文学〈碑文体〉の伝の成立

760年2月25日菩提遷那、4月18日唐僧道璿（どうせん）が遷化（せんげ）し、6月7日には光明皇太后が崩御（ほうぎょ）し、仏教文化が花ひらいた天平の時代は節目を迎えます。大安寺の渡来僧菩提遷那・道璿の遷化を機に、大安寺の弟子僧たちは師僧の高僧伝を作り始めるのです。

仏教は、仏伝・高僧伝等、伝を高度に発達させました。その洗礼を受けて、「墓誌」のような短かい伝は、物語性豊かな伝記文学へと変貌します。僧伝では、師から弟子へと継承された師資相承（ししそうしょう）の系譜（法統・法系）が重要です。道璿の「碑文」冒頭には、ダルマさんの菩提達磨（だるま）から道璿にいたる中国北宗禅（ほくそうぜん）の高僧の系譜が示されています。家を捨て世俗を捨てて出家した僧は、氏族を出て寺院を家とし、出家者集団の僧団を家族とします。僧は血統ではなく、法統・法系に帰属しますから、師僧は実の親以上の存在でした。

師僧亡き後、菩提遷那の弟子僧たちは「今こそ妙像を造り、遺影を後世に伝えよう」と、師の「形像を造成」します。10年後、ようやく完成した〈肖像〉を前に、弟子僧たちは〈肖像〉の〈賛（さん）〉を作り、その〈序〉に「生前の師の姿が厳像（ごんぞう）と共に、今もここにあるようだ」と記します。これが770年、〈肖像〉に対する〈賛〉と、その〈序〉から成る碑文体の伝『南天竺婆羅門僧正碑并序』の成立です。伝記本文は、実は〈序〉に過ぎなかったのです。

菩提遷那の遺言

『南天竺婆羅門僧正碑并序』の成立までに、没後10年もの歳月を要したのは、菩提遷那の遺言（ゆいごん）が多すぎたためでしょう。生前、彼は「如意輪菩薩像（にょいりんぼさつぞう）」を造り、これに並べて「八大菩薩像」を造ろうとしますが、果たせず、弟子僧たちに後を託します。〈序〉には「弟子等は遺旨（いし）を守り、八像を備飾（びしょく）した」とあり、彼らが忠実に師の遺言を守ったことが明記されています。

遺言は、まだありました。「阿弥陀浄土の造成」です。〈序〉には完成の記述がなく、弟子僧たちは「阿弥陀浄土」は造らなかったようです。光明皇太后崩御後の追善（ついぜん）法要が国家的に営まれ、官大寺である大安寺の官僧もこれに駆り出された可能性があり、翌761年には一周忌追善法会のため、法華寺に「阿弥陀浄土院」（藤原頼通（ふじわらのよりみち）の宇治平等院鳳凰堂（ほうおうどう）を遡（さかのぼ）る、初期の浄土庭園）。菩提遷那の遺言「阿弥陀浄土の造成」は、これに発展的に吸収されたと考えられます。

菩提遷那の遺言と、光明皇太后追善の「阿弥陀浄土院」造営は対応しています。そもそも、光明皇太后に「阿弥陀浄土」の信仰を伝えたのは、菩提遷那であったのかもしれません。

＝さらに深く学ぶために＝

・藏中しのぶ『南天竺婆羅門僧正碑并序』の沈黙―菩提僊那の「阿弥陀浄土」と光明皇太后追善事業」『文学・語学』第218号、2017・3

・曽根正人『道慈』人物叢書新装版、吉川弘文館、2022。

・上原眞人『奈良時代の大安寺―資財帳の考古学的探究奈良時代の大安寺』大安寺歴史講座、東方書店、2022

（藏中しのぶ）

— *column* — たましいのありか—古今東西における壺の象徴性

皆さんは死者の魂はどこに還ると思われるでしょうか。古代中国では死んだ後は天や山、地下などに死者の魂が向かうとされますが、その際、壺型の容器を依り代とする考えがあります。小南一郎によれば、東呉から西晋にかけての時期、長江下流域の墓葬中にしばしば神亭壺と呼ばれる壺が納められ、死者の魂はこの神亭壺を通じて祖霊たちの世界へ赴き、逆に死者の魂を招く際にはこの壺が寄り代となって魂がこの世に帰ってくるとされます。浙江省一帯では今でも同様の壺が「魂瓶」などと呼ばれ、後漢楊氏墓から出土した壺上の朱書には、この容器を経過して死後の世界に赴くと記されています（「壺型の宇宙」『東方学報』61、1989）。このような考えは文学作品にも反映されており、唐の元稹 Yuan Zhen（779-831）の長編詩「夢井」では、井戸の中に浮き沈みする釣瓶（水を汲み上げる容器）が黄泉へと続く井戸底に沈んでいく夢をみ、目覚めた元稹が釣瓶に死んだ妻の魂が宿っていたのだと気づいて悲嘆する様を詠じています。

壺が依り代となるとする考えは日本にも存在し、鐘方正樹は日本の水占い「依る瓶の水」を入れる容器が神の依り代となった可能性を指摘しています（『井戸の考古学』同成社、2003）。

このような壺型の容器と魂との関係は中国を中心とした東洋の習俗だと思っていたのですが、最近子どもにチェコのむかしばなし『ヴォドニークの水の館』（まきあつこ　文・降矢なな絵、BL 出版、2021）を読み聞かせていた際、面白い発見がありました。この絵本は 1863 年に出版されたヨゼフ・ヴィルギル・グローマン、Josef Virgil Grohman 著『ボヘミア地方の伝説』に収められた話を、チェコ語の翻訳者であるまき氏が再話したものです。貧しさから川に身投げしようとした娘が、緑色の身体で燕尾服を着たヴォドニーク Vodník にさらわれて水中の館に連れてこられ、ストーブの上においてあるたくさんの壺を開けないように言いつけられます。ある日、娘は出来心で壺のひとつを開けたところ、死んだ弟の魂が飛んでいったのです。やがて娘は全ての壺のフタを開けて魂たちを解放し、ヴォドニークから逃れて脱出します。地上では時間が経過しており、母親は死んでいたものの残された兄弟と仲良く暮らしたという内容です。

ヴォドニークは水界を支配する東スラヴの男性の水の精です。着ている燕尾服がぬれている間は地上で元気でいられる姿は、お皿に水がある間活動できる日本の河童を彷彿させますが、河童と同じく川や池で人間を溺れさせ魂を抜き取るといいます。さらにその魂をフタつきの壺の中に閉じ込めてしまうのですから、恐ろしい存在でもあるのです。ヴォドニークが人魚に変化するなどの違いはあるものの、アイルランドやドイツなどにも類話が見られるとされます。異界訪問譚でもあるこのお話は、水が死と関わり水底は死者が棲む世界と見なされていたこと、壺が死者の魂と密接な関係がある器物と考えられていたことが背景にあるでしょう。

『ヴォドニークの水の館』に出会って以降、壺と魂との関係に注目しながら西洋の話を読んでみたところ、グリム童話に「壺に入った死人の魂」が登場する「強力ハンス」（KHM213）を見つけました。探すともっと出てくるに違いありません。民族・地域・文化、そして時間を超えた不思議な共通性を、このような道具の描かれ方からも見出すことができるでしょう。

＝さらに深く学ぶために＝

・山崎藍『中国古典文学に描かれた厠・井戸・簪—民俗学的視点に基づく考察』勉誠出版、2020

（山崎藍）

── *column* ──『平家物語』と『シャー・ナーメ』に関する比較研究の状況

日本には戦乱を主材とした「軍記物語」と呼ばれるジャンルの作品が存在しています。これらの作品は書き写されながら読まれていくとともに、語られながらも享受されてきました。明治期に近代国家を目指すなか、西欧と同様に叙事詩の存在を渇望していた日本では、口承という側面も含めて『平家物語』に着目し、これを叙事詩とみなし喧伝したことが明らかにされています（大津雄一『『平家物語』の再誕　創られた国民叙事詩』NHK 出版、2013）。近年ではそうした行いを顧みつつ、軍記物語と各国の叙事詩との本質的な違いの精査も進められ、イランの叙事詩『シャー・ナーメ（王書）』*Šhānāmē/Shahnameh* との比較研究も発表されています。

『シャー・ナーメ』は詩人フェルドウスィー Ferdousī（934 ？ -1025 ？）によって 1010 年頃に作られたと考えられる長編叙事詩です。まず王たちを中心に神話時代が記され、その後、サーム、ザール、ロスタムといった英雄の系譜を中心とした伝説時代、そして歴史時代へと話が続くことが知られています。日本では抄訳として黒田恒男訳東洋文庫版（1969）と岡田恵美子訳岩波文庫版（1999）があり、現代イランにおいてもこの作品が語られている様子が後者の解説に写真掲載されています。『シャー・ナーメ』と日本との接点は実は古く、鎌倉時代に慶政（1189-1268）が持ち帰った「紙本墨書南番文字」に、その一節が書き残されていることもまた諸先行研究のより明らかにされています。慶政は経文と思っていたようですが、ペルシア人にとって当時もやはりこの詩が身近であったことを感じさせます。

『シャー・ナーメ』の特質の一つは、作中に「廻る天輪」、「廻る天」といった言葉が度々見えるように、人の生や死の背後に抗うことのできない運命の存在があるという認識を持つことで、「天輪に逆らうことのできる者はいない―悪人も徳ある者も」と書かれる通り、誰しも例外はありません。英雄ロスタムもまた「どれほど長く生きようと、いつかは死ぬもの。廻る天が命あるすべての者に結末をつけるのだ」と話し、この世の移ろいやすさや、誰の生も永遠に続くわけではないという考えが作品の根底にあります。無常の意識は『平家物語』にも見られますが、『シャー・ナーメ』のような他国の叙事詩にも世の儚さへの意識が強くあり、そうした意識がそれぞれどのように培われたのかを検証し、各国の独自性を明らかにする研究も発表されています（日下力「国民文学としてのイラン叙事詩『シャー・ナーメ（王書）』と『平家物語』」『楽劇学』第 26 号、2019・5）。こうした研究が進むことは、各文化への理解を深めていくことにもなるでしょう。

イランの文部省関連の書物、たとえば国定教科書の表紙に『シャー・ナーメ』の一節が記されていることが紹介されているように、教育との関わりも興味深い問題です。日本では軍記物語の読まれ方は時代ごとに移り変わり、時に改作もされていきますが、教育の場とも切り離して考えることはできません。どのように戦乱や歴史を書いた作品が読まれ、多様な本を生み出し、そして教育の場で用いられてきたのか、『シャー・ナーメ』を含め、各国の作品と軍記物語の比較研究が進むなか、それぞれの文学と教育の関わりをも調べていくことは、一国に留まらず、広く人間の本質を考えていくことにも繋がると思われます。

＝さらに深く学ぶために＝

・日下力『平家物語という世界文学』笠間書院、2017

（滝澤みか）

Ⅵ　日本と諸地域の〈文学交流〉

世界の中の日本語・日本文学

海外における日本語・日本文学への需要

世界における日本語・日本文化への需要に関する調査に『海外日本語教育機関調査』があります。この調査は、国際交流基金が海外の日本語教育機関の協力のもと、3年に1度実施しているもので、国外の日本語学習者数や日本文化への関心などについて分析されています。

直近の2021年度調査では、実に141の国・地域において日本語教育が実施されていることが明らかとなっていて、国別学習者数上位5カ国は、中国（1,057,318人）が最も多く、インドネシア（711,732人）、韓国（470,334人）、オーストラリア（415,348人）、タイ（183,957人）が続きます。1975年度調査から2021年度調査までの過去14回の調査結果をみると、日本語教育を実施している国・地域の数は70から142（2.0倍）に、機関数は1,145機関から18,661機関（16.3倍）に、教師数は4,097人から77,323人（18.9倍）に、学習者数は127,167人から3,851,774人（30.3倍）に増加しています（**図1**）。

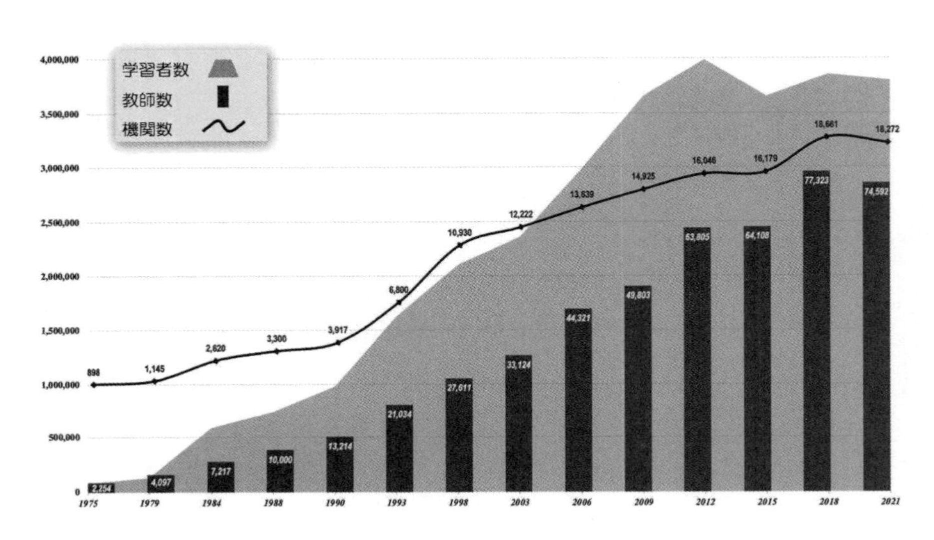

図1. 日本語学習者数・教師数・機関数の推移
〔国際交流基金『海外日本語教育機関調査』（1975-2021）をもとに筆者作成〕

約40年の間に、海外における日本語への需要は急激に高まっていると言えますが、2018年度調査報告書には、大学などの高等教育機関で学ぶ学習者の日本語学習目的・理由についても記され、第1に多いのは「マンガ・アニメ・J-POP・ファッション等への興味」（66.0%）、続いて2番目に多いのは「日本語そのものへの興味」（61.4%）、3番目には「歴史・文学・芸術等への関心」（52.4%）が挙げられています。つまり、海外の大学などで日本語を学ぶ学習者の大半が歴史や文学、芸術等への高い関心を持っていることが指摘されているのです。

秋草俊一郎（あきくさしゅんいちろう）［2018］は、アメリカの『ノートン版世界文学アンソロジー』第3版における日本文学作品の割合は5%程度であると報告しています。フランス文学やアメリカ文学が占める割合からすると、ものたりないと感じられるかもしれませんが、日本の外務省が発表する世界の国の数は196カ国で、5%という数字も一概には少ないとも言えません。

近年では、たとえば、イタリアの日本文学ブームとして、川口俊和（かわぐちとしかず）『コーヒーが冷めないうちに』が10万部を超えるベストセラーとなったことや、イタリアの大手新聞社が全25巻からなる日本文学全集を刊行し、村上春樹や小川洋子、よしもとばなな、角田光代、川上弘美、柳美里などの作品が収録されることになったことも報道されました。海外における日本文学への高い関心が指摘されているのです。

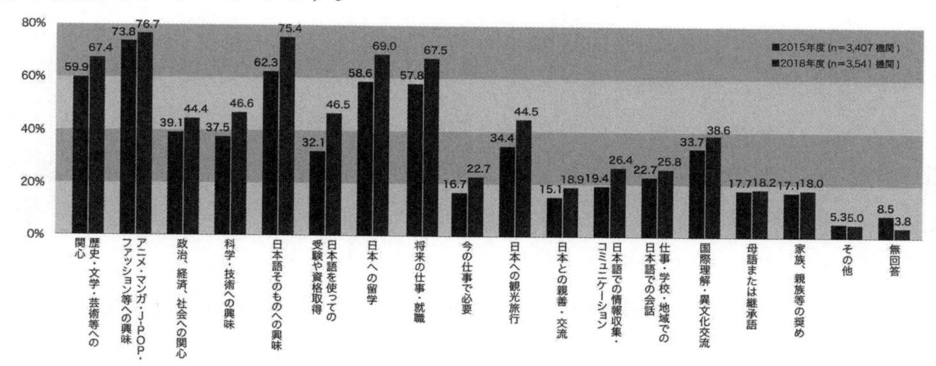

図2. 日本語学習の目的〔国際交流基金『2018年度海外日本語教育機関調査』より引用〕

海外の大学で学ばれる日本文学

先述した世界最多の日本語学習者を擁する中国に目を向けると、大学で日本語を専攻する学生も我々が想像するよりはるかに多くの日本文学作品に触れています。田中祐輔［2015］は、中国の大学で使用されてきた17冊の日本語教科書の掲載作品全555作品を調査し、ジャンルとしては「評論」が最も多く163作品（29.4%、例：山崎正和「日本人の空間感覚」／小山修三「日本人と日本語」）で、続いて、「随想」が119作品（21.4%、例：辻まこと「山上の景観」／寺田寅彦「龍舌蘭」）、「評論」と「随想」を合わせると約半数を占め、「小説」80作品（14.4%、例：井上ひさし「ナイン」／井上靖「姨捨」）、「古文」53作品（9.5%、例：芭蕉「おくのほそ道」）も含めると全体の74.7%に達するとされています。

また、作品の題材としては、「文学」が大半を占め（全555作品中348作品：62.7%）、うち、「日本文学」は322作品（「文学（348作品）」全体の92.5%）、「中国文学」は20作品（同5.7%）、「その他の外国文学」は3作品（同0.9%）、「文学総合」は3作品（同0.9%）で、中国の大学で使用されている日本語教科書の取り扱う作品の題材としては、「文学」、それも「日本文学」が他の題材との比較において圧倒的に多いことが明らかにされています。

今日も世界の様々な国・地域で日本の文学作品は読まれ、学ばれ、論じられています。こうした海外の視点もまた、〈文学交流〉を考える上で重要な示唆を私たちに与えてくれるものと言えるでしょう。

＝さらに深く学ぶために＝

・秋草俊一郎「「世界」の中の日本文学—最新のアメリカの「世界文学全集」に見る」『世界文学の最前線—流通・翻訳をめぐって』日本大学大学院総合社会情報研究科特別公演、シリーズ第2期第2回、2018.10.14
・国際交流基金『海外日本語教育機関調査』（1975-2021）
・田中祐輔『現代中国の日本語教育史』国書刊行会、2015
・栂井理恵「イタリアで日本文学ブーム、人気はエンタメ小説　背景にあの70年代アニメの存在」『Newsweek 日本語版』2021.6.25

（田中祐輔）

日本と中国の東北地方——「満州」時代の知識人及び東北地域の日本語教育

交流史の回顧

中国の東北大地には日本と切っても切れない関係があります。古代の中国東北地方と日本の交流関係については、高句麗王国の遺跡「好太王碑」(1880年に吉林 Jilin 省集安 Jian で発見され、414年に息子の長寿王が好太王の功績を称えて建立)の存在やそれについての研究が広く行われてきました。そのあとの渤海国と日本との交流については、渤海使節の研究や渤海詩などの文献研究が詳細ですが、ここでは、近代以降の〈文学交流〉の視点から、かつて「満州」で活躍した文化人を中心に紹介します。また、東北地方の日本語教育の発展過程と人材育成、そして日本語教育の成果としての人材が両国文化交流に貢献したことについて、今までの研究分野ではあまり触れていない事項や人物を紹介し、〈文学交流〉のもう一面を考えてみます。

「満州」関係資料と知識人たち

「満州」の知識人の活躍に関する文献資料は、筆者が東北地域の日本関係資料の調査に参加し、「中国東北地域における档案館日本関係史料の調査報告」(『人間文化』神戸学院大学人文学会、31号、2012)において紹介した通り、そのほとんどが中国国家図書館、瀋陽 Shenyang 市図書館、大連 Dalian 図書館、吉林省図書館、長春 Changchun 市図書館、吉林省档案館、吉林省社会科学院、吉林大学図書館、東北師範大学図書館に所蔵されています。これらの資料によって、当時の知識人たちの社会活動や文学創作の様子をうかがうことができます。

(1) **爵青** Juequig (1917-62)　爵青は満州族。1911年「長春高学堂」(1911年に日本が創立した九年制学校)で学び、「奉天美術学校」を経て、1933年「長春交通学校」を卒業。「ハルビン鉄道局」、「チャムス公署」、「満日文化協会」などに勤め、1949年以降、吉林大学図書館で日本語の資料の整理、索引作成などの業務を担当しました。1939年、「新京芸文誌事務会」に参加し、「芸文誌」派を代表する作家として、1941年「満州文芸家協会」のメンバーになり、「新京文芸書房」より代表作『帰郷』、作品集『歐陽家的人們』(歐陽一族の人々)を出版しました。1942年「盛京時報文学賞」受賞、また作品『黄金的窄門』(ゴールデンゲート)により第一次「大東亜文学賞」受賞、作品『麦』を以て「文話会作品賞」受賞。

(2) **梅娘** Meiniang (1920-2013)　梅娘は本名孫嘉瑞 Sun Jiarui。1920年、現ロシアのウラジオストクで生まれ、11歳の時「吉林省立女子中学校」に入学、17歳で作品『小姐集』(お嬢様たち)を発表、その後父親の親友張鴻鵠 Zhang Honghu の手配で日本に留学し、当時の「東亜日本語学校」高レベルクラスに入りました。内山書店で早稲田大学留学中の柳竜光 Liu Longguang と知り合い結婚。20歳で作品『第二代』を出版、1942年に北京に帰り、「北平」(当時の北京の名称)の『婦女雑誌』に就職し、『中国文芸』、『華文大阪毎日』、『中国文学』などで、数多くの作品を発表。作品『魚』と『蟹』は「大東亜文学賞」の賞外佳作と副賞を受賞しました。

(3) **古丁** Guding (1914-64?)「満州」で活躍した「新文学」作家として知られています。夏目漱石や石川啄木の作品の翻訳によって日本近代文学の詳細を中国に紹介した第一人者と言えます。古丁の創作活動や社会活動に関して、全面的に考察をしたのは梅定娥 Mei Ding'e の『古丁研究 ―「満洲国」に生きた文化人』(日文研叢書49、人間文化研究機構国際日本文化研究センター、2012)が詳細ですが、2度の「転向」問題(1932年中国「左翼作家連盟」北方支部に加入、1933

年革命活動の挫折を受け、「新京」に戻り、「満州国」国務院総務庁に勤務、1945年まで「満州」の文壇で活躍しました〈1回目の転向〉。日本が東北地方から撤退した後、中国革命に参加し、「東北中ソ友好協会」委員、吉林省「中ソ友好協会」秘書、「東北大学」資料室研究員などを歴任〈2回目の転向〉）についてまだ定かではないところがあります。「満州」における古丁の文学は「理想の追求と幻の繰り返しである」と評されています。特に夏目漱石の『こころ』から影響を受けています。

（4）**穆儒丐**（ぼくじゅかい） Mu Rugai（1884-1961）　穆儒丐は満州族、1884年、北京で生まれ、別名穆都哩（ぼくとり） Mu Duli または穆篤哩（ぼくとくり） Mu Duli、漢族名は寧裕之（ねいゆうし） Ning Yuzhi。幼いころ満州族の伝統に従って読書や騎射の教育を受けました。1903年、「経正書院」に入り、1905年、国費留学生に選ばれ早稲田大学師範科で歴史地理を専攻し、満期の3年後、さらに政治や財政を3年間学びました。1911年に帰国後、清（しん）朝政府が滅びて民国時代に入り、彼は『盛京時報』の主筆となり、小説『福昭創業記』、『笑里啼痕録』、『香粉夜叉』、評論『文学の私見』、ヴィクトル・ユーゴー Victor Hugo の『ああ無情』と谷崎潤一郎（たにざきじゅんいちろう）の『春琴抄（しゅんきんしょう）』翻訳など、数多くの作品を残しています。

日本語教育の交流

このように東北地方で活躍した知識人の中には、日本語教育に貢献した人々がいたことを忘れてはなりません。「満州」時代に、主に国費留学生に選ばれた人たちが東北地方の日本語教育の基盤を築き、教育の現場の中堅となってリーダーシップを発揮しました。その多くは日本の名門大学（当時の東京帝国大学、京都帝国大学、早稲田大学、中央大学、東京女子師範学校（現在のお茶の水女子大学）、東京高等師範学校）を卒業し、帰国後日本研究や日本語教育の現場で活躍しました。

東北地方の日本語教育は、主に長春を拠点とする吉林大学と東北師範大学、大連を拠点とする大連外国語大学と遼寧（りょうねい） Liaoning 師範大学が中心として強い影響力を持っています。1972年の日中国交正常化に伴い1973年から東北師範大学に日本語学科が設置され、翌年の1974年から第1期生を迎えました。1978年の「日中平和友好条約」締結の翌年、両国政府の協力で東北師範大学に「中国赴日本国留学予備学校」が設置され、教材から視聴覚教育設備などを日本側が提供、中国全国から選ばれたエリートの人材に対し1年間の日本語教育を行いました。彼らは日本の国費留学生として日本の各大学の博士課程に入り、学位を取得して、帰国後中国の各分野の中堅となっています。この協力関係は現在まで続いています。

中国の教員が、日本から派遣された教師団から進んだ教授法を学び、日本語学科でその経験を生かし日本語の人材を育て、卒業生たちは日本語教育の現場で活躍しています。日本から派遣された日本語教育の教師団によって運用された教育方法が、中国の東北地方の教育現場で継承され、また、中国の学生が持っている特質を生かして（教師団から学んだ直説法を導入したうえ、中国の学生に合わせて、漢字語彙などを増やしたりしたコミュニカティブアプローチの教授法を確立）、現在のような日本語教育の中心的基盤を築き上げることができました。

＝さらに深く学ぶために＝

・張雯虹「重拾一枝舊梅―論梅娘小説之「子君式」的苦悶情懷」（改めてあの「梅」を見る―梅娘の「子君式」悩みを論じる）『山東文学』、2006・2
・王暁恒「在文学与政治之間―『盛京時報』時期的穆儒丐」（文学と政治の間の存在―『盛京時報』時代の穆儒丐）『中国現代文学研究叢刊』、2016・3
・岡田英樹『「満州国」の文学とその周辺』東方書店、2019

（林　忠鵬）

日本と上海——日中の文学者の対面交流

中国新文学の重要団体「創造社」の誕生

中国の近代文学（中国では「新文学」）は日本より30年ほど遅れ、1910年代の末頃に発足しました。中国新文学の動向については、中国文学研究者青木正児が早くも1920年に雑誌『支那学』で紹介したものの、日本の文壇ではさほど反響を呼ばなかったようです。

1921年6月8日、日本留学中の郭沫若 Guo Moruo（1892-1978）や田漢 Tian Han（1898-1968）らが、東京帝国大学在籍の郁達夫 Yu Dafu（1896-1945）の東京の宿所で、のちに中国新文学で最も名高い、大きな実績を挙げることになる文学団体の一つ、「創造社」の誕生を宣言しました。1921年の秋、創造社メンバーの一部は日本から上海に戻り、郭沫若の白話（口語）詩集『女神』や郁達夫の短編小説集『沈淪』などを収録した「創造叢書」を出版しました。1922年の秋、創造社の中核メンバー田漢も上海に来ました。田漢は東京時代に『バイオリンと薔薇』、『珈琲店の一夜』などの劇本を発表し、佐藤春夫を慕って彼の自宅を数回訪れています。田漢の上海到来によって、創造社の文学活動はますます活発になりました。そして、1923年4月、外でもない上海を舞台に、日本人文学者と中国の新鋭作家との対面交流が本格的に始まります。

村松梢風、中国新文学者と対面交流の最初の日本人作家

最初に対面交流をした文学者は、村松梢風（1889-1961）です。彼は芥川龍之介の「上海游記」（1921年秋から「大阪毎日新聞」に連載）に刺激され、1923年3月下旬、上海に渡りました。到着から数日後、村松は出発前に佐藤春夫からもらった紹介状を携え、田漢が勤務する大手出版社中華書局を訪れました。帰国後、村松はその歴史的な面会を、「私達は一見旧知のやうな気持で話し始めた。田君は二十六七位で、瘠せた丈の高い青年だ。長い頭髪は櫛を使ふ代りに指で掻き上げてゐるのでモジャモジャ絡み合つてゐる。蒼白い神経質な顔で大きな目は絶えず憂鬱に臆病さうに動いてゐる。」（「不思議な都『上海』」『中央公論』1923・8）と書きました。

田漢宅で、田漢は村松に、「支那の文壇は全く振ひません。伝統の文学は殆ど形骸ばかり残つていて其の中に何等の生命がありません。現在一番勢力を占めてゐるのは、主に上海で発行されてゐる通俗文学の雑誌や書物ですが、其の全部が俗悪低級な物ばかりで全く駄目です。僕達は友達ばかり集まつて『創造』といふ雑誌を発行してゐますが、其の仲間には支那で一番新しい小説家の郁文［郁達夫］さんや、詩人でドラマチストの郭末若さんや、批評家では成灝さんなどが居ります。いづれ其の人達をあなたに御紹介致しませう。僕は今迄は主に翻訳ばかりやつてましたが、今後は創作を主にやりたいと思つてゐるんです」（同上）と言いました。

数日後、田漢は村松のために創造社同人を呼んで、自宅で盛大な晩餐を用意して、日中文学者の交歓会を催しました。その3日後に、郭沫若、田漢などが村松の上海での宿所を訪問し、郭沫若が漢口路にある「美麗」という四川料理屋で村松の歓迎会を開催します。途中で、『創造』を出版する泰東図書局に寄り、村松はそこで郭沫若の詩集『女神』を購入しました。「美麗」の会合で、村松はようやく郁達夫と顔を合わせます。村松はこのように上海の現場で中国の新文学者と数回も対面交流をし、上海での中国新文学の様子を文章や本で日本人に伝えるとともに、自分自身の体験を素材に、『魔都』や長編小説『上海』などを発表しました。

1927年5月、田漢が来日すると、村松は暖かく彼を迎え、「来朝の田漢君」という文章を「読

売新聞」に寄せました。1928 年 2 月、郭沫若が家族を連れて日本へ亡命する際、村松は彼らが千葉県市川に住めるよう奔走しました。村松と中国人作家たちとの出会いの意味について、後に、彼の孫で作家の村松友視は「上海に魅入られた梢風の感動は、もちろん『魔都』上海のイメージ［引用注、様々な人種が雑然混然と暮らす、欲望の犯罪のアナーキーな都市］だけではない。郭沫若や郁達夫をはじめとする、中国の新しい芸術家たちとの出会いは、梢風を大きく変貌させたに違いない。」（『上海ララバイ』文藝春秋、1984）と述べています。

谷崎潤一郎の「上海交遊記」

1926 年 1 月、谷崎潤一郎が上海を訪れました。二度目の訪問です。一度目の 1918 年の訪問で、谷崎は対話できる中国人作家を探しましたが、願いは叶いませんでした。二度目の訪問では、北四川路にある内山書店の店主内山完造の仲介で、郭沫若、田漢、謝六逸 Xie Liuyi（1898-1945）ら、日本留学経験のある中国人文学者との対面交流が実現しました。その日の「顔つなぎの会」で会った中国側の文人は、その他に歐陽予倩 Ouyang Yuqian（1889-1962）、徐蔚南 Xu Weinan（1900-52）、唐越石 Tang Yueshi など 10 名近くで、日本文学と映画や中国文学の現状が話題となりました。「一体支那では日本のやうに洋服が流行つてゐないけれど、此処に集つた人々は悉く洋服だつた。そして彼等は、私に対してばかりでなく、彼等同士の間に於いても出来得る限り日本語でしやべつた。私は関西へ居を移してから、純然たる東京語のアクセントが聞かれる会合へ、暫らくぶりで出席したと云ふ訳である。」（谷崎潤一郎「上海交遊記」）。

数日後の 1 月 29 日午後、谷崎は田漢の案内で上海の南の新少年映画製作所へ向かいました。ここで谷崎の歓迎会も兼ねて「文芸消寒会」が催されました。「今度上海へ出かけて行つて一番愉快だつたことは、彼の地の若い芸術家連との交際であつた。［中略］兎に角私のために九十人からの支那青年が集まつてくれ、午後三時から夜の十二時まで続いた程の盛んな宴会を催してくれたのでも、どんなに彼等が私を好遇してくれたかは想像出来よう。その日私は活動写真にまで撮られ、歐陽予倩君と一緒にクローズアップでカメラの前に立つた。席上隠し芸が幾つも出て、私も何かやらなければ収まりが付かないことになり、酔つた紛れにテーブルスピーチと云ふものをやつた。」（谷崎潤一郎「上海見聞録」『文藝春秋』1926・5）。

谷崎が上海滞在中、旧正月となり、田漢は単身の谷崎を気遣い、大晦日の夜に彼を誘って歐陽宅で年越しをしました。のちに田漢が大阪を訪れたとき、谷崎も田漢を道頓堀に案内し心を込めて歓待しました。歐陽との友情は 1950 年代まで続き、1956 年、欧陽（当時、中央演劇大学学長）が中国京劇団を率いて訪日した際、谷崎は歐陽一行の宿泊先を訪ね、旧交を温めました。

1920 年代後半には、佐藤春夫や詩人の金子光晴なども次々上海を訪れ、現地作家たちと親しく交流しました。芥川、菊池寛、「白樺派」の作品も上海で数多く中国語に訳されました。

＝さらに深く学ぶために＝

・村松梢風『魔都』小西書店、1924
・趙夢雲『上海·文学残像—将洋、宮内淳子、和田桂子『上海の日本人社会とメディア 1870-1945』岩波書店、2014

（徐　静波）

日本と台湾 ——「帝国」の狭間にあって

常に流動的な台湾文学

近代以降の世界は、民族国家とコロニアリズムという二律背反な概念に引き裂かれ、帝国主義のメカニズムによって支えられてきた不均衡な支配構造は尾を引き、現在に至るまで多くの地域で影を落としています。それぞれ独自の言語と文化によって形成された「国民」（ネイション）を中心に、一国の「文学」が形作られたという考えに基づいて、国別の「文学史」で語られてきました。しかし、こうした単一民族や単一言語による線引きは、いわば支配側を「中心」に据えた視点であり、多種多様な民族や文化が入り混じる「周縁」の存在を見過ごしてしまいがちです。台湾という地域で生まれた文学は、政治的構造が変わるたびにアイデンティティの合法性が再構築され、歴史的経緯から見て常に流動的です。

江戸文学の豊かな想像力に登場する英雄

現在の台湾では、漢民族が圧倒的に多数を占め、中華圏の一部と見られています。しかし、大陸文明の長い歴史に比べ、漢民族の流入は最近のことです。台湾における人類の活動の痕跡は3万年以前に遡り、オーストロネシア語族と分類されている諸民族が東南アジアなどから台湾にやってきて、大規模な漢民族移住が始まる16世紀前半まで、文化的にも足跡を残しました。その後、「大航海時代」の幕開けとともに、最初に台湾に渡来したヨーロッパ人はオランダ人とスペイン人です。折しもツングース系の満族が明 Ming を滅ぼし、清 Qing を打ち立てますが、「反清復明」を旗印とした鄭成功 Zheng Chenggong が、台湾に入植したヨーロッパ勢を追い出し、現在の台南を根拠地にしました。その後、清が台湾を支配しますが、警戒感から台湾への移民に対して厳しい制限を課しました。それでも漢民族の人口が少しずつ増え、先住民族たちをマイノリティへと追い詰めていきます。明の皇室の名字「朱」を賜り、「国姓爺」（皇帝と同じ名字を持つ地位の高い人の意）と呼ばれた鄭成功は、鄭芝龍 Zheng Zhilong と日本人妻の間に生まれた子です。鄭成功の事績に基づく近松門左衛門の浄瑠璃「国性爺合戦」は日本で人気を博しました。主人公の呼び名「和藤内」（和と唐）は、鄭成功の二つのルーツを示しています。

日本による植民地統治

大陸より移入した漢民族が主体となる中で、漢詩文による文学活動や、科挙（官僚になるための文官試験）のために必要な漢籍の教育が行われてきました。日本文学との関わりは、19世紀末に始まった植民地支配によって本格的になります。日清戦争（1894-95）後に、台湾が割譲され日本の植民地になりましたが、アジア太平洋戦争（1941-45）終結まで、その支配は50年に及びました。台湾総督府などの行政機関の権力の根拠となる法は帝国議会で作られ、漢民族が大多数を占めるにもかかわらず、植民地台湾で立法機能を持つ機関の創設は許されませんでした。台湾の人々は、法的には日本の「国民」とされながら、「内地人」より権利が制限されました。統治の初期に、日本と台湾の知識人の間で漢詩文の唱和も行われましたが、民衆統治のため、台湾総督学務部長伊沢修二（1851-1917）が、「国語」（日本語）教育の重要性を唱えました。漢民族にとって母国語ではない「国語」は、近代化と近代文明を導入する手段ともなりました。

台湾の新文学運動

日本語が少しずつ浸透していくなか、第一次世界大戦（1914-18）の余波は、大正期の台湾にも影響を及ぼします。世界的に民族自決の潮流を受け、植民地朝鮮では「三・一運動」、中国では「五四運動」が起こります。「新文化運動」と呼ばれた「五四運動」は、「文学改良」の必要性を訴え、伝統的な漢文ではなく、白話文（話しことばをそのまま記す文章）の使用を主張しました。台湾出身の張我軍 Zhang Wojun（1902-55）はこの運動に合流すべく北京に赴き、日本語を教えながら新文化を学びました。『台湾通史』の編者の連雅堂 Lian Yatang は、北京で活動後、『台湾詩薈』などを主宰。同じ 1920 年代に、頼和 Lai He（1894-1943）は台湾総督府医学校で教育を受けた第一世代の知識人として、日本語による文学作品を発表しました。

戦時下の台湾日本語文学

試行錯誤が行われた 1920 年代の台湾文壇は、昭和に入るとその様相が一変します。政治活動や議会設置請願運動などが弾圧され、満州事変（1931・9）が勃発すると、台湾総督府は大陸南方や南洋への拡張を視野に入れて統治方針を変え、教育政策や文化政策も変更しました。小林躋造（予備役海軍大将）が台湾総督に就任すると（1936）、台湾を「南進基地」とすべく、急進的な「皇民化運動」を推進し始めます。日中戦争が勃発した 1937 年に、新聞の漢文欄や公学校などでの漢文科が廃止され、文学の発表はもっぱら日本語で行われることになります。台湾の公学校で啓蒙的教育を経たのち「内地」に留学した作家が輩出し、「内地」の文学賞を受賞する者も現れました。1930 年代初頭に、『南音』など郷土色を打ち出した詩歌の結社が台湾で生まれる一方、同時期に東京を中心に結成された台湾芸術研究会に、王白淵 Wang Baiyuan、巫永福 Wu Yongfu などが合流し、文芸誌『フォルモサ』を発行しました。またプロレタリア文学作家である楊逵 Yang Kui、呂赫若 Lu Herou、新世代の作家として登場する張文環 Zhang Wenhuan、龍瑛宗 Long Yingzong、周金波 Zhou Jinbo などの日本語による創作活動は続きます。『文芸台湾』を主宰した西川満は、戦時下に活躍した濱田隼雄同様、幼少期を台湾で過ごし、のちに「内地」の大学に進学して、再び台湾に戻り文学活動に身を投じた作家です。西川は、台湾文学の方向性について張文環と対立し、楊逵とも論争しました。青山学院、慶応義塾大学を経て占領下の上海で活動した劉吶鷗 Liu Na'ou は、新感覚派（川端康成ら新奇な文体による感覚の刺激をめざしたグループ）の文学を紹介し、映画業界などでも活躍しました。日本語による教育を受けた台湾知識層が、中国や「満州国」でも活躍していたことが注目されます。

「日本文学」の境界線を揺さぶる文学

戦後、母語ではない日本語で文学創作を続ける台湾とゆかりある作家は、本籍台北で神戸生まれの陳舜臣や邱永漢など戦前生まれの世代だけではありません。21 世紀の今日でも、移民二世として直木賞を受賞した東山彰良や、日本育ちながら三つの言語間で葛藤してきた経験を書き続けた温又柔 Wen Yourou、「周縁」に位置付けられた人々を描き、芥川賞を受賞した李琴峰 Li Qinfeng など、日本語を母語としない文学者たちが、日本語で創作活動を行っています。「日本国民」ではない立場の人々が、日本語で書いた作品は、「日本文学」の境界線を揺さぶり、固定化されたナショナル文学の概念を再考するきっかけを与えてくれています。

＝さらに深く学ぶために＝

・赤松美和子、若松大祐編『台湾を知るための 72 章 第 2 版』明石書店、2022
・浅田次郎ほか編『コレクション戦争と文学 18 帝国日本と台湾・南方』集英社、2012
・温又柔『『国語』から旅立って』新曜社、2019

（孫　世偉）

日本と太平洋地域 —— 日本統治時代に始まった交流の光と影

〈南洋群島〉と日本・日本語

日本列島の真南、赤道近くに太平洋の島国、パラオ共和国があります。そこから東へ日付変更線の近くまで北マリアナ諸島連邦、ミクロネシア連邦、マーシャル諸島共和国と南の国の島々が広がっています。この地域は、第一次世界大戦後の1919年からアジア太平洋戦争が終結する1945年の夏まで、日本の統治下にありました。当時は〈南洋群島〉と呼ばれ、パラオのコロール島に〈南洋庁〉がおかれました。広い地域に点在する島々ではそれぞれ異なる言語が使われていましたが、この時期を通して、日本語が共通語として普及しました。

天然資源に恵まれたこの地域には、多くの日本人がやってきて、現地の人と交流しました。ここではパラオを中心に、交流を通して双方に生まれた文学的な営みを取り上げます。

エラケツと宮武正道、北村信昭

エラケツ
(奈良大学図書館蔵)

1929年9月、パラオから19歳の青年エラケツ Ngiraked (1910-44?) が、奈良の天理にやってきました。エラケツは、パラオの文化を日本に紹介した先駆的な人物と言えます。7年ほどの滞在期間に、若き言語学者の宮武正道(みやたけまさみち)(1912-44)、写真家で文筆家の北村信昭(きたむらのぶあき)(1906-99) とともに、パラオの言語や伝説、風俗についての書物(『ミクロネシア群島パラオの土俗と島語テキスト』発行者:宮武正道、1933、ほか) を著し、東洋民俗博物館の館長、九十九豊勝(つくもとよかつ)の支援を受けて講演やラジオ放送でパラオの伝説や歌を紹介しました。友人の一人、吉田龍太郎(よしだりゅうたろう)はエラケツをモデルにした小説「南洋の人気男」(『週刊朝日』1941年春季特別号, pp.112-123. 筆名:有村次郎) で、彼がパラオの文化を生き生きと紹介する様子を描いています (写真は奈良大学北村信昭コレクションより。日本滞在中のエラケツ)。

エラケツの帰国後、宮武と北村によって刊行された『パラオ島童話集　お月さまに昇つた話』(国華堂日童社、1943) は、子どもやその保護者に、日本の領土としてのパラオへの理解を促そうと編まれた本で、エラケツの協力で集められたパラオ各地の物語が、赤松俊子(あかまつとしこ)(のちの丸木俊(まるきとし)) の美しい表紙絵と挿絵(さしえ)に彩(いろど)られています。

しかし、これが出版されたころ、一時帰国のつもりでパラオへ帰ったエラケツと、日本の友人たちとの連絡は絶えていました。1944年には宮武が病死、エラケツはパラオでの水難事故で、二つの若い豊かな才能が失われてしまいました。北村信昭が整理したエラケツからの100通近い書簡や写真は奈良大学に北村信昭コレクションとして保管されています。

土方久功と中島敦、そしてマリア

土方久功(ひじかたひさかつ)(1900-77) は、1929年3月にパラオに渡り13年間パラオで暮らしました。彼は東京美術学校 (現在の東京芸術大学) で学んだ彫刻家で、パラオの自然や人々をモチーフにした彫刻や絵画が有名ですが、20代から詩を書き続けていました。パラオから帰国後に『青蜥蜴(あおとかげ)の夢』(大塔書店、1956) にまとめたパラオ滞在中の作品は殊(こと)に異彩を放っています。

マリア 1940年ごろの写真
(ベラウ国立博物館蔵)

土方は現地のことばを使って集めたパラオの神話や伝説、調べた文化を多く日本語にして残しました (『土方久功著作集』1～5巻)。その作業に「パラオ語の先生」として協力したのが、マリア Maria（1917-71）です。コロールの女酋長の娘で、1932 年の夏から 2 年ほど東京杉並の三育女学院で学び、日本の事情にも通じていました。岩波文庫を片端から読むほどの読書家で、日本人にパラオの伝統料理をふるまうなど文化交流にも熱心でした。中島敦（1909-42）の短篇「マリヤン」はマリアをモデルにしています。

中島敦は、南洋庁の国語編修書記（職務は「国語」教科書の改訂）として 1941 年 7 月にコロールに赴任しました。しかし、好転を期待した喘息はよくならず、仕事への情熱も持てない中島敦は、土方の家に入り浸って土方のノートを読み、話に耳を傾けました。1942 年 3 月、中島敦は土方とともに東京へ帰り、数か月間で土方に取材した短編をまとめて『南島譚』（今日の問題社、1942）として出版し、その 12 月に 33 歳の命を閉じました。

「マリヤン」は『南島譚』中の 1 編で、知的で活発で信心深いマリアの人柄を鮮やかに描き出していますが、描写に差別意識が見え隠れすることを否定できません。マリアの遺児の希望で「マリヤン」の英訳（河路由佳［編著］『中島敦「マリヤン」とモデルのマリア・ギボン』港の人、2014）を読んでもらったところ、母マリアの魅力はそのままだが、物語はマリヤンに対して不誠実だとの感想が寄せられました。双方向性のある〈文学交流〉が望まれる所以です。

南洋の人びとが作った日本語の歌

当時、入植を促す目的もあって「パラオ恋しや」（作詞：森地一夫）、「パラオの真珠とり」（作詞：石本美由起）など南洋への憧れを刺激する歌謡曲が多く作られ流行していました。戦後、アメリカの信託統治の時代を経てこの地域の共通語は英語に変わりましたが、日本語の歌は今も歌われています。中には現地の人が日本語で作った歌もあります。

『海の生命線』という〈南洋群島〉の紹介映画（1933）の冒頭に南洋情緒あふれる現地語の女声コーラスが流れますが、今パラオで日本語の歌詞をつけて歌われています。「ぬしはアバイでこの月を / わたしゃ浜辺で ただ一人 / 切ない思い　あーあ / 聞くは磯千鳥」というのが一番です。男性の集会所「アバイ」にいる人を浜辺で思う女性の立場で歌われますが、最後の「磯千鳥」は、箏曲「磯千鳥」以来の類型に則っていて、流行歌「別れの磯千鳥」の影響もありそうです。戦争中に空襲を逃れて潜んだ森の避難場で出会った人を、戦後恋しく思いだす「避難場便り」という歌の 4 番は「これが最後の避難場便り / 別れ惜しめば胸苦し / 去り行くあの影、消えゆく姿 / 古巣に残るは薄情け」で、戦後、日本人が去ってから作られ流行したのだといいます。日本語の歌は太平洋の島々に伝播し、小笠原にも伝わりました。「レモングラス」という名曲の歌詞の内容は、日本人男性と結婚の約束をしていた南洋の女性が、戦後日本へ帰った男性を待つというものです。GHQ の占領下におかれた日本からの渡航は困難でもありました。この歌は「小笠原古謡」のひとつ「レモン林」となって、小笠原でも歌い継がれています。

= さらに深く学ぶために =

・河路由佳「パラオの日本語人・マリアと SDA 教会、そして土方久功―中島敦「マリヤン」の限界と挑戦」『ことばと文字』4 号、2015・10

・河路由佳「昭和初期のパラオからの留学生エラケツ（Ngiraked）の留学前後―日本統治時代のパラオと日本の間」『ことばと文字』13 号、2020・4

・小西潤子「「涙がこぼれる」感情表現―小笠原に伝播したミクロネシアの日本語歌謡《レモン林》の解釈」『立命館言語文化研究』22 巻 4 号、2011・3

（河路由佳）

日本とインド——宮沢賢治とロビンドロナト・タゴールの活動と貢献

教育と農業という共通点

大英帝国下の植民地であった英領インド British India、ベンガル Bengal 州のコルカタ Kolkata（当時首都であったカルカッタ Calcutta）に 1861 年生まれたロビンドロナト・タゴール Rabindranath Tagore、そしてその 35 年後の 1896 年日本の岩手県花巻市に生まれた宮沢賢治、一日印のこの二人の人物は当時の文学界に活躍した著名な文学者・思想家です。両者は人間に本来そなわる独創性を重要視し、教育、農業などにおいて、科学的でかつ実践的な知識の分野の開発に非常に積極的でした。また、一般の人々にとって実用的で、かつ生活向上の必要性を強く感じ、それに応じた教育においても大きな貢献をしています。

宮沢賢治とタゴール

賢治は、「羅須地人協会」と呼ばれる農民の団体を発足させました。この団体の目的は、農民の教育と訓練、そしてまた、農民たちの総合的な発展向上の文化的環境を整えることにありました。こうした目的の一貫として、彼は、たとえば西洋のクラッシック音楽や演劇 なども、この団体の活動の中に取り入れたのでした。教師として、賢治は、理論的知識と 実践的知識の双方を獲得することが大切であると強調しています。また、賢治はエスペラント語を人々の間に広めることにより、広く世界が一つに結ばれることを理想としていました。

一方、タゴールの場合、1901 年、インド古来の名にちなんだ Brahmacharja Vidyalay 即ち、「修養道場」（成人になる前の男子が学業と倫理道徳などを修める、古代インドの一種の寺子屋）と呼ばれる学校をシャンティニケトン Santiniketan（タゴールが、彼の目指す理想の教育を人々に分かち与える場所として開いた修養道場、後のビッショ・バロティ Visva-Bharati 大学がある地区の名前）に開設しました。さらに、1922 年、シャンティニケトンから 3 キロほど離れているスリニケトン Sriniketan に、農村開発、職業訓練を中心とする施設を新設し、人間形成の上で欠かせない様々な教育施策を試みました。タゴールは、情熱溢れる東洋礼賛者であるとともに、西洋の学問・知識の 擁護者でもありました。東洋と西洋の文化、そして、それらの学問・知識を統合させる場所として創設したのがビッショ・バロティ大学であったのです。シャンティニケトンのキャンパスでは、現在も歌、踊り、演劇、美術絵画などの教育が、人文・社会・自然科学の分野と変わらない比重をもって実施されています。

二人の哲学と幅広い実践

賢治とタゴールの人類愛への取り組みは、仏陀の教え、あるいは哲学が、賢治及びタゴールに深い影響を与えていたことは言うまでもありません。それがタゴールと賢治に、農村に暮らす人々の生活改善の方途を探る道を歩ませることになったのでしょう。貧しい人々の生活全体の発展向上への強い意志が、二人の後半の人生を形作ったのです。両者の活動は言語や社会文化の障壁を乗り越えて、人々の記憶の中に深くとどまることとなります。

賢治、そしてタゴールはともに、歌、踊り、演劇などを通して、自然の中で人々の創造的活動が育くまれていくことに重きを置いていました。両者とも、そのことが人々の精神の向上発展には欠かせないものであることを強く認識していたのです。

以上のことを考えると、文学研究者や社会文化研究者はもとより、広く社会科学、農業、音楽、美術といったさまざまな分野に至る研究者までもが、この賢治あるいはタゴールという人物を研究の俎上（そじょう）に載せる理由はいったい何なのかということについて、思いを巡らせざるをえません。

相互に行われている翻訳と研究

結果として、二人の文学作品はあらゆる分野の人々によって愛読されるようになります。賢治とタゴールの作品は世界の様々な言語に翻訳され、アジアで初めてノーベル文学賞を受賞したタゴールの作品はもちろん、賢治の作品も日本の枠を超え、多くの外国語に翻訳されています。インドにおいては、ヒンディー語、ベンガル語、マラヤラム語、マラティー語に翻訳されました。1981年にはタゴール著作集が日本語に、その翌年、賢治の47詩がヒンディー語に訳され、さらに、2019年にインドで開催された国際学会で賢治の詩「雨ニモ負ケズ」がインドのさまざまな言語に翻訳され、出版されました。近年、宮沢賢治を様々な視点から取り上げ、博士論文の題としているインドの研究者も出ています。

＝さらに深く学ぶために＝

・古江久彌『賢治とタゴール―まことの詩人の宗教と文学』武蔵野書院、1999
・ギータ・A・キニ「宮沢賢治の詩的創造力を支える生き方を探る―「雨にも負けず」を通して」プラット・アブラハム・ジョージ編『宮澤賢治と共存共栄の概念―賢治作品の見直し』（インド宮澤賢治国際学会報告集）、New Delhi: Northern Book Centre、2013
・‘Amar Sankalpa’ [Translation in Bengali of Miyazawa Kenji’s poem “Ame nimo makezu”], *Japanese Literature in Indian Translations: Issues and Challenges.* New Dehli: Northern Book Centre, 2017

（ギータ・A・キニ）

ビッショ・バロティ大学日本学科

— *column* —　親日トルコと日本の〈文学交流〉

ある社会の民衆の心情、世界観、物事の捉え方を、その社会が持つことばによって暗号化され紡ぎ出される生成物、その社会のDNAとも言えるものが「文学」です。他の社会の文学作品を読むという行為は、その社会構成や文化形態のみならず、思想、発想、民族性などさまざまな情報を得ることに繋がり、読者個人の視野が広がり、普遍的な心情理解が深まります。相互的な〈文学交流〉は、両社会、両国間の障害を乗り越える努力に効果的な影響を与えます。

親日国として知られるトルコ共和国。「日本」が初めてトルコ文学に現れたのは、トルコ共和国建国以前、オスマン帝国Osmanli İmparatorluğu末期とされます。トルコを代表する知識人で詩人のメフメット・アーキフ・エルソイMehmet Akif Ersoy（1873-1936）は、現トルコ共和国国歌の作詞者としても有名ですが、「スレイマニエの教室で」Süleymaniye Kürsüsündeという詩の中で「日本」を描写しています。日本人は勤勉かつ忠実で正直な心の持ち主であり、情けや倫理的美徳を深くもった人たちである、とあります。また同時代の「学問の富」Servet-I Fünun文学派の代表として、トルコ文学界に西欧近代文学思潮の導入に励んだ小説家ハーリト・ズィヤ・ウシャクルギルHalit Ziya Uşaklıgil（1866-1945）の回想録『40年』*Kırk Yıl*には、日露戦争の影響が明確に反映されています。

日本への原爆投下の影響をトルコの文学作品に見ることができます。特に原爆の苦しみをトルコ文学に投影し多くの人々に影響を与えたのは、詩人ナーズム・ヒクメット・ランNazım Hikmet Ran（1902-63）です。彼が執筆した「放射能の雨の後に」Radyoaktiviteli Yağmurlar Üstüne、「一人女の子がいた、日本に」Bir Kız Vardı Japonya'da、「日本の漁師」Japon Balıkçısı、「少女」Kız Çocuğu、「雲よ、人を殺さないでくれ」Bulutlar Adam Öldürmesinは、原爆投下の衝撃をもとにした作品です。「少女」は、数多くの言語にも翻訳された彼の代表作です。音楽家、俳優、詩人、政治家のズルフー・リヴァネリZülfü Livaneli（1946-）によって曲が付けられ、トルコ国内外で戦争と原発の残酷さを訴える、一層人の心に悲しく響く作品となりました。トルコ人の中にはこの詩を知らない人はほとんどいません。特筆すべきは、文学の革新を主張したガリプGarip文学流派の代表的詩人オルハン・ヴェリ・カヌクOrhan Veli Kanık（1914-50）です。彼はなんと日本の俳諧・俳句に興味を持ち、実際にトルコ語で句作を試みました。

近年、特に2000年以来両国間において文学作品の直接翻訳が増加し、大江健三郎、川端康成、谷崎潤一郎、太宰治、三島由紀夫、吉本ばなな、宮沢賢治、村上春樹、湊かなえなどの作品が日本語からトルコ語に訳され、日本文学を好む人も増えています。トルコの文学作品ではノーベル賞受賞者のオルハン・パムクOrhan Pamukの作品はもちろん、サイト・ファーイクSait Faik Abasıyanık、ラティフェ・テキンLatife Tekin、オメル・セイフェッティンÖmer Seyfettin、サバハッティン・アリSabahattin Ali、アフメット・ハムディ・タンプナルAhmet Hamdi Tanpınarなど著者の作品が翻訳されています。日本の読者たちは、この大地、この文化のDNAを、どのように捉え、どのように感じてくれるでしょうか。ぜひともトルコ文学作品を一読し、この多文化社会の色彩を味わってもらいたいと思います。

＝さらに深く学ぶために＝

・林佳世子編『現代トルコ文学選』東京外国語大学語学教育研究協議会, 1996
・峯俊夫編訳『トルコの詩』国文社、1994

（アイシェヌール・テキメン）

— *column* — 日本文学とラテンアメリカ文学の交流

ラテンアメリカにおける日本人による移民の歴史は100年以上も前に遡（さかのぼ）りますが、日系人口が最も多い国においても文学界への影響が大きいとは決して言えないと思います。むしろ、日本文学の影響を最も顕著に受けたラテンアメリカの文学者たちは、一つの大きな共通点があります。それは、日本文学へのアプローチを試みたさいに、スペイン語やポルトガル語ではなく、その他の西洋言語（主に英語、フランス語、そしてドイツ語）で書かれた著書を通してしか、日本文化に接近することができなかった、という点です。つまり、彼らにとっての〈日本文化〉とは、ヨーロッパに端を発する言説を仲介役として紹介されていた日本文学と文化でした。

この点を確認した上で、ラテンアメリカにおいて日本文学の紹介と普及に最も貢献した大文学者は、メキシコのオクタビオ・パス Octavio Paz（1914-98）、アルゼンチンのホルヘ・ルイス・ボルヘス Jorge Luis Borges（1899-1986）、そしてブラジルのアロウド・ジ・カンポス Haroldo de Campos（1929-2003）と言えるでしょう。長きに亙（わた）る作家人生の中で、彼らは、欧米で書かれた著書を頼りに日本文学へのアプローチを始めたとはいえ、やがて日本を直接訪問したり、日本語を学んだり、あるいは日本人と協力したりすることによって、ヨーロッパで出版された書物に頼ることなく、自身の経験に基づいた〈日本像〉と〈日本文学像〉へと辿（たど）り着きました。

パスがスペイン語に共訳した『おくのほそ道』が最も有名な例でしょう。1957年にメキシコで出版されたこの本が、西洋言語に初めて全訳された『おくのほそ道』であることの意味の大きさが注目されます。駐墨（ちゅうぼく）日本大使館の外交官林屋永吉（はやしやえいきち）の協力があってこそとはいえ、1970年に刊行された第2版では、パス独自の芭蕉（ばしょう）文学の解釈に基づいて、多くの箇所が書き換えられています。この訳こそが、現在までスペイン語圏の『おくのほそ道』の定訳になっています。

アルゼンチン文学の巨匠ボルヘスも日本文学に強い関心を示しました。禅仏教に興味を抱いていたボルヘスは、『仏教とは何か？』*¿Qué es el budismo?*（1976）という入門書まで書き、禅仏教と日本の芸術の関係についても考察するなど、日本文化に対して途絶えることのない好奇心の持ち主でした。晩年のボルヘスは、日本の短詩形文学に惹（ひ）かれ、詩集『群虎黄金』*El oro de los tigres*（1972）と『暗号』*La cifra*（1981）には、スペイン語で書いた短歌と俳句も収録しています。ボルヘスの死後、遺作として発表された『枕草子（まくらのそうし）』*El libro de la almohada*（2004）は、スペイン語圏の多くの読者にとって、この日本文学作品の定訳になっています。

アロウド・ジ・カンポスは、ブラジルの詩的運動、具象詩 concrete poetry（ことばを、組版、色、行の配列によって視覚的に操作する詩）の旗振り役として活躍しました。詩人活動の早い段階から日本の歌と能に深い共感を寄せ、日本文学論と日本文学の翻訳作品も著（あらわ）しました。表意文字文学論『表意文字—理論、詩、言語』*Ideograma: Lógica, Poesia, Linguagem*（1977）と、謡曲（ようきょく）『羽衣（はごろも）』のポルトガル語訳とその翻訳制作過程を記した『世阿弥（ぜあみ）の羽衣』*Hagoromo de Zeami*（1993）は、学術性に裏打ちされたジ・カンポスの日本文学へのアプローチの代表作です。

＝さらに深く学ぶために＝

・太田靖子『俳句とジャポニスム—メキシコ詩人タブラーダの場合』思文閣出版、2008
・阿波弓夫『オクタビオ・パス　迷路と帰還』文化科学高等研究院出版局、2015

（マヌエル・アスアヘアラモ）

日本とカリフォルニア —— 強制収容所と海紅俳句

日本人移民の強制収容

日本人が初めてカリフォルニア州に移民したのは19世紀末のことです。1910年にはカリフォルニアに住む日系人は約4万人でしたが、1941年12月8日の真珠湾攻撃による日米開戦の時には10万人弱になっていました。1942年2月19日の大統領令9066号発令により、ハワイや西海岸に住んでいた全ての日系人（約11万人）が、6か月間をかけて収容所に送られました。その内、約60%が米国籍を持つ日系人で、その他はアメリカ市民権を持たない日本人でした。大統領令9066号は本来「敵性外国人」を対象としていましたが、ドイツ系アメリカ人やイタリア系アメリカ人に対する強制収容はありませんでした。日系人のみが標的にされたのは、アメリカ（特に西海岸）における東アジア人への差別的扱いの歴史に理由があります。

米墨（べいぼく）戦争（1846〜1848年のアメリカ合衆国とメキシコ合衆国との間の戦争）におけるカリフォルニア征服（1847）に続いて金が発見され（1848)、「カルフォルニア・ゴールドラッシュ」が始まりました。当時は、僅（わず）かのメキシコ系人や米国からの開拓者以外は、先住民の様々な部族が住んでいた地域でしたが、金の発見から数年後、30万人もがカリフォルニアに来ました。その多くは米国の各地からのヨーロッパ系の人々（いわゆる「白人」）でしたが、南アメリカ（特にメキシコ）や中国（特に広東（カントン））からの移民も多く、ヨーロッパ諸国からの人も少なくありませんでした。

今日、「白人至上主義」white supremacyということばは極右の団体に対して用いられていますが、19世紀後半・20世紀前半の米国では主流の考え方でした。カリフォルニア州における中国人排斥法（1882）はその表現です。この法律は中国人だけでなく、東アジア人を対象にしていましたが、日本人移民は比較的に大目に見られていたようです。しかし、1906年に日本人の帰化申請が拒否され、1924年移民法によって、「白人」以外の移民が廃止されました。

大統領令9066号はこの歴史的事情を背景としていました。逮捕された日系人は全員、まずアッセンブリ・センター（集合所）に送られ、その後、リロケーション・センター（「転住所」、すなわち収容所）に送られました。強制収容所は10箇所あり、カリフォルニア州以外、オレゴン州、アリゾナ州、ワイオミング州、アイダホ州、ユタ州、コロラド州、テキサス州、アーカンソー州に作られました。その多くは砂漠地で、生活は極めて辛く、日系人の被収容者は鉄条網の中で社会生活を送り共同体意識を作るため、学校、礼拝（キリスト教、仏教、など）、スポーツ、芸能、新聞、そして文学団体などを組織しました。

強制収容所における海紅俳句

海紅（かいこう）俳句は、河東碧梧桐（かわひがしへきごとう）、中塚一碧楼（なかつかいっぺきろう）の『海紅』（1915年創刊）というアヴァンギャルド俳句雑誌に由来し、伝統的な季題や五七五の定型にとらわれず、自由な感動を自由なリズムで表す自由律俳句です。カリフォルニアの最初の海紅の結社は、1907年にアメリカに移民した尾澤寧次（おざわねいじ）（1886-1967）が、1915年にバークレー大学卒業後、サンフランシスコで創立しました。1917年に尾澤はスタクトンStocktonに移動し、東京からシアトル行きの船で知り合った小室鏡太郎（こむろきょうたろう）（1885-1953）とともに1918年にデルタ吟社俳句会Delta Ginsha Haiku Kaiを創立します。また4年後、フレズノFresnoに転居し、薬局を開き、1928年にヴァレー吟社俳句会Valley Ginsha Haiku Kaiを創設しました。

大統領令9066号が発令された1942年には、二つの団体はすでに20何年存在し続けていました。スタクトン・アッセンブリ・センターに拘留される間、デルタ吟社俳句会の歌人たちは2000句首以上を投稿したようで、その約四分の一がローア強制収容所の収容者新聞付録として創刊された『デルタ吟社俳句集』第1輯（1942）に収録されています。2年後の第2輯には1000句が掲載されました。デルタ吟社俳句会のリーダー小室は、第2輯の序文に、「今、全世界全人類の総（あら）ゆる努力はすべて、戦争の為に費やされている／戦争は理屈ではない、人間の常識を以て判（わか）り切れる出来事ではない／吾々が夢想だにしなかつた加州の立退き、そしてアーカンソーの避地（ママ）に鉄柵内の生活をつづける事も又戦争の一部でしかない／こうした生活の中にあつて、独り自然と美に超然たり得る道は詩の世界の暮しである。私達は俳句の詩の世界に生きて行く幸福を感謝しなくてはならない」と書きました。収容所の俳句は独自の表現世界を見せます。

小室の句は収容所の生活を生き生きと描写しています。お盆も独立祭も祝うのが日系人です。

残暑道白し列し守られて行く日本人

見張台仰ぐことなく行けり夏陽（なつび）出る前　（スタクトンWRA集結センターにて）

まこと音頭踊も独立祭も来（こ）し吾等（われら）に

裸で孫を抱かせて貰（もら）ふよろこび　（ローア強制収容所にて）

その一方で、カリフォルニアからアーカンソーの砂漠地への強制退去の悔しさを表現した句もあります。中尾野人（なかおやじん）（1887-?）の「ローア強制収容所にて」、「加州を偲（しの）ぶ」という題の句です。

今は遠き国となり樹々（きぎ）紅葉す

同じ収容所の上利與天地（あがりよてんち）はアーカンソーの厳冬を嘆きカリフォルニアの温暖な気候を恋います。

加州寒椿（かんつばき）の夢うつつ咳（せき）をしつづけ

上利は菊の栽培をしており、その句に花がしばしば登場します。花は、「我が家」を思い出すよすがとなっています。たとえば、次の感慨深い句はその例です。

棲（す）みて子を産みこの家去らんとす石楠花（しゃくなげ）咲いてあるを

「我が家」とは単なる物理的場所でなく、自分の最愛の人たちが居る場所です。

墓場には水もなからう今年盆がきた

メンバーが分散した家族も少なくなかったことも、俳句に反映されています。岡本菊葉（おかもときくよう）の句。

別れて今日は一年庭の木瓜（ぼけ）も咲いていよう

夫の岡本紫峰（しほう）はローズバーグ司法省管轄収容所に収監。そこでの紫峰の句もあります。

鉄柵動かない山から冬の日が出て

「鉄柵」は、収容者の俳句の「俳句語」と言いたくなるほど頻出します。アリゾナ州のインディアン居留地のヒラ強制収容所の療養所に結核で留置された尾澤の句にも見えます。

鉄柵の中に生まれし子もまじり元旦

病気だった尾澤には砂漠の壮麗を描写する句や、病に苦しむ痛ましい句もあります。

南国アリゾナ・サンセット雄大金色の雲動く

あけて星は消え夢はどこへすてる

砂漠雨ふり喀血（かっけつ）あとの眠りにおち

＝さらに深く学ぶために＝

・ヴァイオレット・一恵・デ・クリストフォロ編『さつきぞらあしたもある　アメリカ日系人強制収容所俳句集』行路社，1995（英訳もある）　（トークィル・ダシー）

日本とカナダ――日本とカナダの古典文学

文化・歴史の交叉する新渡戸紀念庭園

私は2005年からカナダ西海岸バンクーバーのブリティッシュ・コロンビア大学で日本文学を教えています。最近は学生の将来と地球の現状を思うと、どのような作品を扱い、どのような教え方がよいのかを考えるようになりました。多文化・多言語を身につけているカナダの学生と日本文学のテキストを読むことで生まれる交流や視点について問題提起をしたいと思います。

コロナ禍の2年間は学生たちの間で高まった不安、そして気候変動を見て、自然や環境のテーマを中心に新しい授業を行いました。私は日記文学と旅文学を担当していますが、旧暦（太陰暦）について話したところ、多くの学生が授業前夜の月の満ち欠けを自分で見ていないことがわかりました。また、自然描写や季節感について話し合うことで、日々あまり自然と触れていないことに気づかされた、という学生のコメントもありました。ならば現在の日々の生活と関連付けて、前近代の文化から得られる知識を考えてみることで、学生のモチベーションが高まり、今までと違った文学に対する解釈を手に入れることができるのではないかと考えたのです。

そこで実験的に教室外で音や風景を経験しながら和歌を学生に読ませることを試みました。幸いなことにキャンパス内に新渡戸紀念庭園 Nitobe Memorial Garden という回遊式庭園があります。農政学者で教育者の新渡戸稲造は1933年に太平洋問題調査会に出席するためにカナダを訪れ、ビクトリア市で亡くなりました。1944年にブリティッシュ・コロンビア大学学長に就任したノーマン・マッケンジー Norman MacKenzie 教授との友好の徴しとして、1960年にこの庭園は造営されました。現在も日本からカナダへ移住したキュレーター兼庭師によって美しく保存、管理されています。この庭園は日本の伝統に基づいて造られましたが、実はさまざまな文化と時代が混交しています。築地塀の中の回遊式庭園の周辺には、背の高いダグラスファー（アメリカ松）とレッドシダー（ベイスギ）が並んでいます。

カナダという植民地ができる前、のちにキャンパスとなる場所は、先住民族のマスキアム族 Musqueam が先祖代々守ってきた土地です。法的に先住民族から植民者に譲られた土地ではないので、現在でも法律上はマスキアム族の土地であるべきでした。マスキアム族の hən̓q̓əmin̓əm̓ 語では、ダグラスファーは c̓sey̓əłp と呼ばれ、皮は薪、樹液は糊として使われ、またレッドシダーは χpey̓əłp と呼ばれ、皮を使った、篭や様々な道具と服飾が今も作られています。

先住民の土地に造られた庭園に入っていくと新渡戸灯篭が建っています。この春日灯篭（竿が円形、火袋が六角平面の石灯篭）は、1935年に在留邦人とバンクーバー日本協会が寄贈し、もとは学生寮の近くにありました。しかし、第二次世界大戦時に倒され、のちに日本庭園ができてから移設されたものです。1958年に庭園造営のためにカナダに呼ばれた森歓之助は、「願はくはわれ太平洋の橋とならん」と述べた新渡戸のことばを受けて、カナダと日本の樹木を植樹し、両国の自然を調和させた庭園を造ったのです。

八つ橋とかきつばた（明治神宮から運ばれた）の池を経由して入口に戻ると新渡戸の銅像があります。銅像はバンクーバーのビール会社社長の日系女性が台湾の彫刻家に依頼したものです。新渡戸は1901年からの2年間の植民地台湾滞在を経て、10年後に台湾における先住民をどう「抑圧」"control" すべきなか（特に電気柵による土地の支配）という論文（"Japan as a Colonizer." *The Jour-*

nal of Race Development Vol.2, No.4, April 1912）を書いています。その新渡戸紀念庭園が、ブリティッシュ・コロンビア大学の、先住民から奪った土地に建っていることは皮肉な歴史です。

現在はカナダの大学が過去の植民地化による責任と先住民に対する人権、文化的な破壊を認め、「和解」reconciliation に赴（おもむ）こうとしています。その中で、世界中から集まった学生がカナダの授業で新渡戸の存在に出会うのですから、ブリティッシュ・コロンビア大学のマッケンジー元学長との 1930 年代における友好だけで話を片付けるわけにはいかないのです。

新渡戸紀念公園で読む『古今和歌集』

2021 年度の受講生は、日本の美を表現する庭で和歌を読み、自然の音を録音して 5 分ほどのポッドキャストのエピソードを作る計画に励（はげ）みました。世界中から集まった学生がカナダの大学内の日本庭園で平安時代に収集された和歌を読むのですから、歴史的・文化的コンテクストは、当然日本とカナダの枠を超えることになります。何千年前から現在に続く先住民の歴史と習慣、270 年前からのヨーロッパ人の到着、そして西海岸への到達と土地の奪い合い、平安時代の勅撰集（ちょくせんしゅう）とそれまでの歌の歴史的・文化的なコンテクスト、中世から近世にかけて造営された庭の形式、日本の植民地支配時代の政策、第二次世界大戦中の反日差別、コロナ禍が続く学生の精神状態、これらすべてが交わる地点で学生たちは『古今和歌集（こきんわかしゅう）』の解釈をしたのです。

大学院生が導入として新渡戸紀念庭園の歴史を語り、学部生が各歌の春や秋、滝と河、八つ橋などについて説明しました。庭園の音が流れるなか、和歌の季節感、歌ことば、五感による解釈、歌人の意図など様々な観点から考えました。できあがったポッドキャストのエピソードは、普段の教室での発表よりもはるかに刺激に満ちたものでした。ある学生は「庭園で和歌を聞き読むことによって、作者とより深く響き合い、その意図が理解できるようになりました」と語っています。完成した録音ファイルは、誰でもオンラインで聞けるように「和歌を通して新渡戸紀念庭園を歩く」として纏（まと）めてアップロードしてあります（https://blog/ubc.ca/wakawalk/）。

ポッドキャストを今聴くと 2021 年の秋にコロナ禍で苦しんでいた我々が、和歌、庭の音、自然の描写を通して互いに慰められていたことわかります。「そよ風の静けさ、河のゆったりした流れに身を任せていると心配が消え去った」、「その後どこにいてもエネルギーを活性化してくれる庭の光景、音、感覚の印象が頭に浮かぶようになった」と語っていた学生もいました。コロナ禍の悩みや気候変動の不安が続くなか、自然を観察しながら和歌を読む経験によって、学生たちは、孤独感や一年半経験ができなかったことへの無念さから解放されたのです。これをきっかけに自然観察の課題を増やし、和歌における月の特徴を調べてから皆で「月見」をして、歌、詩、感想文を書いて共有し、和歌と他の文学の月の文化的な関連、ペルシア文学の月と恋愛感、カナダの月とバンクーバーの公園で生活するコヨーテのことなどを話し合ったりしています。

これを文学交流と言うべきなのか文化交流と言うべきなのかはわかりません。しかし、学生にとっても私にとっても文学、歴史的・文化的背景、読者の立場、テキストと環境の関係を考えさせられる経験でした。

＝さらに深く学ぶために＝

・ハルオ・シラネ『四季の創造　日本文化と自然観の系譜』（北村結花訳）、KADOKAWA、2020

・渡辺憲司、野田研一、小峯和明、ハルオ・シラネ編『アジア遊学』第 143 号（環境という視座—日本文学とエコクリティシズム）、勉誠出版、2011・7

（クリスティーナ・ラフィン）

日本とフランス —— レオン・ド・ロニーと『詩歌撰葉』

レオン・ド・ロニーについて

レオン・ド・ロニー Léon de Rosny（1837-1914）は、フランス日本学の創始者で、1868年にパリの東洋語学校の日本語学科において初代教授となりました。ここでは、ロニーが1871年に翻訳した詩歌集である『詩歌撰葉（しかせんよう）』*Anthologie japonaise: poésie anciennes et modernes des insulaires du Nippon /Si-ka-zen-yô* を例に、ロニーの実践した〈文学交流〉について考えたいと思います。

『詩歌撰葉』の編纂姿勢

『詩歌撰葉』には、エドゥアール・ラブレ Edouard Laboulaye（1811-83）による前書きに続き、ロニー自身の緒言（しょげん）と序文があり、その後『万葉集（まんようしゅう）』や『百人一首（ひゃくにんいっしゅ）』を中心とした和歌の翻訳と解説が掲出されています。ラブレは前書きの中で、漢詩を引用し、そこに詠まれた心情への共感を示した上で「人間の心はどこでも同じである。［中略］あらゆる国、いかなる時代においても、詩と呼ばれるこの魂の叫びは湧き起こるのだ」と述べています。ラブレの前書きは、冒頭から漢詩が引用されていることも驚きですが、世界を平等に見つめようとする姿勢があることでも先進的な内容であると言えます。続くロニーの緒言には「日本の詩は、心にある偉大な感情をあらわすことができる」とあり、日本の詩歌に対する尊敬の念が読み取れます。

和歌「植えてみよ」の例

『詩歌撰葉』から、福澤諭吉（ふくざわゆきち）がロニーに伝えた古歌（作者未詳）、「植えてみよ 花の育たぬ 里はなし 心からこそ 身はいやしけれ」（植えてみなさい。花が育たない里がないように、何事もやってやれないことはありません。でも心掛け次第では、身が卑しくなってしまうのです）という歌の翻訳を取り上げてみます。以下、歌の解釈は原文と日本語訳を、ロニーによる注は日本語訳のみを引用します。

> Plantez ! il n'est point de hameau qui ne puisse produire des fleurs ; c'est à cause (des imperfections) de notre cœur que notre personne est (parfois) méprisable[2].
>
> 植えてください！花を咲かせられない里などありません。我々が人として（時に）卑しいのは、我々の心の（至らなさの）せいなのです。[原注2]
>
> 原注2）この短い詩を、形式にとらわれず模倣して作った詩。
>
> もし種を育てるなら／どんな地でも一輪の花を咲かせることができる。／人が価値のない存在であるとき／本当に非難されるべきは、心なのだ。
>
> ゲーテの『ファウスト』（第Ⅱ部）に同様の考えが見出せる。
>
> 種さえちゃんと蒔（ま）いて置けば　やがて収穫の時が来るという訳だ。
>
> そして、同じ詩の別の部分には、次のようにある。
>
> 畔（あぜ）を耕す農民が土塊掘り上げ／拾い上げるは金の壺
>
> 最後に、アラビアの作家は次のように言った。
>
> 多くの努力と心掛けによって、人はその場から山を引き抜くことができる。（『東洋・アメリカ評論雑誌』２巻「イスラムの諺（ことわざ）集」330ページ参照）

※日本語訳は稿者によるが、『ファウスト』については、柴田翔『ファウスト（下）』（講談社、2003）から引用した。
なお、紙幅の都合上、改行はスラッシュで表している。

和歌の解釈としては、歌の内容を一通りおさえたものになっていますが、注目すべきはその注です。まず、ロニー自身が、物事を成すには正しい志が必要であるという当該歌の主題を生かし、フランスの詩として作り替えています。紙幅の都合上、そのフランス語の詩は引用していませんが、そこでは韻を踏むように詠まれており、解釈だけでは味わえないフランス詩としての音の響きが鑑賞できるようになっています。また、同じ発想を見出せる詞章として『ファウスト』*Faust* を引用し、かつ同じような着想に基づいたアラビアの作家の言葉も紹介しています。人間の心のあり方を土地や土壌に結びつけて問うという着想が、日本の詩歌にのみ見られるものではなく、ドイツの詩あるいはイスラムの諺（ことわざ）にも確認できることを指摘しています。実際、様々な国の文学や言葉と比較しようとする姿勢は、『詩歌撰葉』全体にわたって認められる大きな特徴の一つです。引用される詩歌は、ウェルギリウス Publius Vergilius Maro やホラティウス Quintus Horatius Flaccus のようなヨーロッパの古典から、中国唐（とう）代 Tang Dynasty の詩、インドやペルシアの同時代詩など、世界各国から様々な時代の例が集められています。西洋の事例が多いのですが、世界各国の例を引き合いに出しながら日本文学を紹介している点は、同じようなモチーフや着眼点、発想、イメージが、その国に特有のものではなく、世界のあらゆる文学に見出せるものであると示唆（しさ）されていると言えるでしょう。この点は、先に確認したラブレによる前書きにも通じるものと言えます。

また、『ファウスト』の引用はドイツ語表記となっているのですが、他にもサンスクリット語やギリシア語、チベット語、ペルシア語など、日本語とフランス語だけでなく、様々な国の文字も引用されています（**【図１】**）。日本文学を中心に据えた上で、世界各国の言語を積極的に取り入れて記述しようという姿勢が認められます。

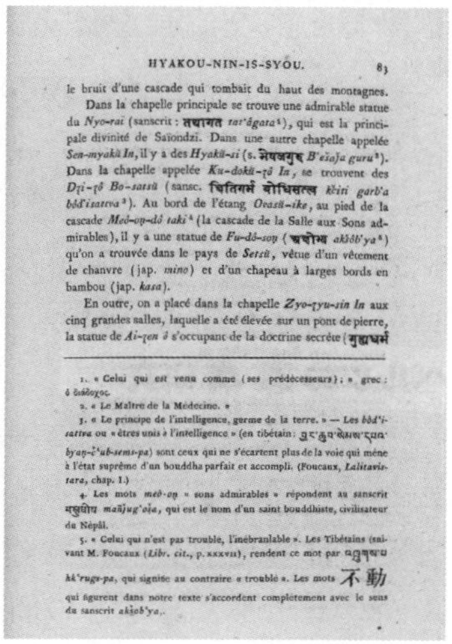

HYAKOU-NIN-IS-SYOU.　83

le bruit d'une cascade qui tombait du haut des montagnes.

Dans la chapelle principale se trouve une admirable statue du *Nyo-rai* (sanscrit : तथागत *tat'âgata*[1]), qui est la principale divinité de Saïondzi. Dans une autre chapelle appelée *Sen-myakû In*, il y a des *Hyakû-si* (s. भैषज्यगुरु *B'ešaja guru*[2]). Dans la chapelle appelée *Ku-dokû-zô In*, se trouvent des *Dzi-zô Bo-satsû* (sansc. क्षितिगर्भ बोधिसत्त्व *kšiti garb'a bôd'isattva*[3]). Au bord de l'étang *Owasû-ike*, au pied de la cascade *Meô-on-dô taki*[4] (la cascade de la Salle aux Sons admirables), il y a une statue de *Fu-dô-son* (अक्षोभ्य *akšôb'ya*[5]) qu'on a trouvée dans le pays de *Setsû*, vêtue d'un vêtement de chanvre (jap. *mino*) et d'un chapeau à larges bords en bambou (jap. *kasa*).

En outre, on a placé dans la chapelle *Zyo-zyu-sin In* aux cinq grandes salles, laquelle a été élevée sur un pont de pierre, la statue de *Ai-zen ô* s'occupant de la doctrine secrète (गुह्यधर्म

1. « Celui qui est venu comme (ses prédécesseurs) ; » grec : ὁ διάδοχος.
2. « Le Maître de la Médecine. »
3. « Le principe de l'intelligence, germe de la terre. » — Les *bôd'isattva* ou « êtres unis à l'intelligence » (en tibétain : བྱང་ཆུབ་སེམས་དཔའ་ *byan-č'ub-sems-pa*) sont ceux qui ne s'écartent plus de la voie qui mène à l'état suprême d'un bouddha parfait et accompli. (Foucaux, *Lalitavistara*, chap. 1.)
4. Les mots *meô-on* « sons admirables » répondent au sanscrit मञ्जुघोष *mañjug'oša*, qui est le nom d'un saint bouddhiste, civilisateur du Népâl.
5. « Celui qui n'est pas troublé, l'inébranlable ». Les Tibétains (suivant M. Foucaux (*Libr. cit.*, p. xxxvii), rendent ce mot par འཁྲུགས་པ *kk'rugs-pa*, qui signifie au contraire « troublé ». Les mots 不動 qui figurent dans notre texte s'accordent complètement avec le sens du sanscrit *akšob'ya*.

【図１】フランス国立図書館の電子図書館（gallica）より

『詩歌撰葉』に対する評価

19 世紀のヨーロッパは、東洋ないし中東の文学に対する興味と関心に目覚めた時代であり、すでにことばを超えて文学をとらえていく動きがありました。この時代の西洋における「東洋趣味」といった意味を表していた「オリエンタリズム」を、エドワード・サイード Edward W. Said（1935-2003）は批判的にとらえ直し、西洋の東洋に対する植民地主義的思考の様式（つまりは差別的な偏見）としての「オリエンタリズム」という術語を用いて、議論を進めてきました。しかし、ロニーの『詩歌撰葉』における和歌の訳出・紹介の仕方を見てみると、19 世紀後半の西洋においては、サイードのいう「差別的偏見」としての「オリエンタリズム」一辺倒ではなかったということが、はっきりみてとれます。ロニーの実践した〈文学交流〉は、日本文学を対象の中心に位置付けながらも、世界の様々な文学との比較の中で類似性を見出し、文学の普遍性をとらえるようなものであったと言えるでしょう。

＝さらに深く学ぶために＝

・エドワード・サイード『オリエンタリズム』（今沢紀子訳）、平凡社、1986（原著は 1978）
・常田槙子「19 世紀フランスにおける和歌集の編纂」『中古文学』第 102 号、2018・11（常田槙子）

日本とドイツ ―― エルヴィン・フォン・ベルツのことなど

ベルツの生地を訪ねて

私が初めてビーティヒハイム＝ビッシンゲン Bietigheim-Bissingen 市を訪れたのは 2018 年 6 月のことでした。ポルシェやメルセデス・ベンツの本社があることで知られるドイツ南部の都市、シュトゥットガルト Stuttgart 郊外の小さな町です。たどり着いてみると、思いがけないことに街路のあちこちにドイツと日本の国旗が並んで飾られていました。地元の方に尋ねてみると、これは姉妹都市の提携をしている群馬県吾妻(あがつま)郡草津(くさつ)町との交流会を控えてのこととのことでした。どちらもエルヴィン・フォン・ベルツ Erwin von Bälz（1849-1913）ゆかりの地ということで交流が続いているとのことでした。彼はビーティヒハイム出身の医師で、いわゆる「お雇(やと)い外国人」として 1876 年から 1905 年まで日本に滞在しました。「近代日本医学の父」とも称され、化粧水「ベルツ水」を創製したほか、草津温泉などの日本の温泉に関する研究を行ったことでも知られます。そして、私がこの地を訪れたのも、実は彼の足跡をたどるという目的があってのことなのでした。

ベルツの狐憑病(こひょうびょう)研究

ベルツは医学、医療、教育に従事する一方で、日本文化に関する研究も行っていました。人類学や民族学的な観点から日本人の体質や住宅、狐憑(きつねつ)きなどに関する学術論文を発表したほか、日本美術品の収集も行いました。ベルツはいわゆる「文学者」というわけではありませんが、ドイツと日本との間の文学をめぐる交流を語る上で重要な人物の一人と私は考えます。

たとえば、彼の日本研究の成果の一部は、間接的に草創期の国文学研究にも影響を与えていたと見られます。具体的には彼の憑依(ひょうい)現象、狐憑きに関する研究です。ベルツは主にドイツ語で学会発表などを行っていましたが、「狐憑病説」（『官報』496、470 号、1885・1・26、27）という日本語の論考も存在します。これによれば、心にもないことを話したりする「一種、特異の精神障碍(しょうがい)症」が、既にインド、ペルシャ、中国、日本、パレスチナで報告されているといいます。症状はいずれも同様ですが、その疾患の捉え方が地域で異なるというのです。新約聖書では「魔神」、インドやペルシャでは「鬼」の仕業(しわざ)であるとされるのに対し、東方のアジア地域では、狐、狸、犬などの動物の仕業とされるとして、ベルツは世界を俯瞰(ふかん)した視座のもと、東洋、引いては日本の憑依現象に対する認識の特徴を位置付けています。そして、東洋で憑依が狐・狸の仕業と認識されるのは、これらの動物が「非凡の力」を持つと妄信(もうしん)されているためと結論づけます。また、興味深いのは、こうした憑依現象について、ヌエという化物が原因だとする四国の「俗伝」を取り上げている点です。つまり説話を収集、記録し、それを考察の対象ともしているのです。ベルツは後に「民族心理の研究者の常道として、言葉や歴史、社会意識、政治観を知ることはもちろん、特に信仰、迷信、神話、伝説、伝承、諺(ことわざ)などを調べる必要がある。」（「日本人の心理」『ドイチェ・ヤーパン・ポスト』第 40 号、第 43 号、1903（『ベルツ日本文化論集』東海大学出版、2001　所収））と述べていますが、この研究はその実践として位置付けられそうです。日本の研究者が日本の説話に光を当て、本格的に研究対象として取り上げるようになるのは十数年後のことですから、それを先取りした研究と言えます。

ベルツとフローレンツ、フローレンツと芳賀矢一

以上を踏まえて確認したいのが、近代的な国文学研究の樹立に大きな役割を果たしたとされる芳賀矢一（1867-1927）の論考「国文学にあらはれたる狐」（『帝国文学』第6巻第2、第5、1900・2、5）です。この論で芳賀は狐が霊的な怪異を引き起こす存在と捉えることについて、西洋では見受けられない東洋の特色とします。その上で、狐にまつわる言説や習俗について世界を俯瞰した視座のもと、東洋、引いては日本のそれを位置付けています。論の枠組みはベルツの狐憑病論とかなり重なります。私は芳賀が何らかの形でベルツの研究に関する情報を得た上で、この論考を執筆した可能性が高いと考えています。さらに私はここに、ベルツとも芳賀とも親しく交流していたドイツ出身の文献学者カール・フローレンツ Karl Florenz（1865-1939）が関わっていたのではないかと見ています。

彼は1883年から1914年まで東京帝国大学の教員でした。主著に『日本文学史』（1906）があり、ドイツでは日本学の祖とされています。晩年、彼は「芳賀さんとは兄弟のようにしていた」（久松潜一『西欧に於ける日本文学』至文堂、1937）と回想しています。また、最近の研究では芳賀の主著『国文学史十講』（1899）とフローレンツの『日本文学史』について内容の近しさが指摘されています。どうやらフローレンツの日本学、芳賀の国文学は、それぞれ双方向的な情報・意見の交換を通して形成されたと見られます。芳賀の狐論もフローレンツからの情報、助言を踏まえつつ執筆していた可能性があります。つまり、芳賀はドイツ人による日本研究の実践をフローレンツとの人的交流を通して学び、その枠組みを踏襲しつつ説話の研究を行ったと考えられます。

説話に関する研究領域は、国文学研究という学問体系の内でも、近世以来の国学の伝統を引き継いだものではなく、西欧の学問の影響のもとに近代に成立したもので、近代的学問としての国文学を特徴づける要素と言えます。そして、芳賀は、国文学として説話を取り上げて研究対象とし、学的に組織した最初期の研究者として重要な役割を果たすわけですが、特に「国文学にあらはれたる狐」は初めて本格的に説話を論じたものとして注目されます。その背後に、フローレンツ、ベルツといったドイツ人研究者の存在が見え隠れするのです。

ベルツの日本美術コレクションを訪ねて

かねてよりこうした問題に関心があった私ですが、幸いにも偶然、ベルツの日本美術コレクションの調査を一つの使命としてドイツに派遣される機会を得ました（日本学術振興会「頭脳循環を加速する戦略的国際研究ネットワーク推進プログラム」2017年度～2019年度）。コレクションは主にシュトゥットガルトのリンデン美術館 Linden-Museum に収蔵され、一部がビーティヒハイム＝ビッシンゲン市立博物館に収められています。調査したのは主に絵巻物でした。収集の際の取捨選択には以上に見たような彼の日本の説話に対する関心も関わっているのかもしれません。調査には私の授業を受けてくれていたハイデルベルク大学の学生たちを伴うこともありました。なるほど、ベルツその人のみならず、彼が日本から持ち帰った一連の古籍もまた、こうした新たな交流をもたらす磁場として機能し続けてくれているということなのかもしれません。

＝さらに深く学ぶために＝

・杉山和也「国文学研究史の再検討―『今昔物語集』〈再発見〉の問題を中心に」『説話文学研究』第51号、2016・8
・馬場大介『近代日本文学史記述のハイブリッドな一起源―カール・フローレンツ『日本文学史』における日独の学術文化接触』三元社、2020

（杉山和也）

日本とスロベニア ―― 民族のエネルギーと普遍性

小さくて新しい独立国、スロベニア

日本とスロベニアの〈文学交流〉について述べる前に、スロベニアについて少し紹介したいと思います。スロベニアは、人口約200万人、四国ぐらいの大きさの国で、1991年にユーゴスラビアから独立しました。

スロベニアは、小さくて新しい独立国ですが、多様性のある国でもあります。北方ゲルマンとバルカン半島に広がる南スラブ、西方ラテンと東方に位置するマジャール（ハンガリー）との交差点であるという地理的特徴を持っています。そのため、文化、言語、生活習慣など随所にこれら隣接言語文化圏の影響が見られ、その中心的なものがスロベニアの言語、文化、社会であると言えるでしょう。

アルマ・カルリン（ツェリエ地方美術館 Pokrajinski muzej Celje 蔵）

女性の社会的台頭

スロベニアと日本の接点を語るにあたって、一人の女性を紹介しましょう。アルマ・カルリン Alma Ida Willibalde Maximiliana Karlin（1889-1950）は、当時オーストリア＝ハンガリー帝国の領土であったツェリエ Celje という地方都市に生まれました。アルマは、1919年から1927年まで単独で世界一周旅行を行い、かねてから憧（あこが）れていた日本・朝鮮半島・中国や台湾も訪れました。アルマは、語学教師やドイツの新聞への寄稿から旅費を工面（くめん）しつつ旅を進めました。アルマが見た日本、アルマが集めた日本の品々は、スロベニア東アジアコレクション（https://vazcollections.si）で見ることができます。

アルマが女性にもかかわらず20世紀初頭に一人で世界一周旅行を行ったのは、実に驚くべきことです。しかし、この時代の女性の台頭はアルマだけではありませんでした。現在イタリア領であるトリエステは、当時リュブリャーナ Ljubljana（現在のスロベニアの首都）よりも多くのスロベニア民族が生活していましたが、ここを拠点として最初の女性編集者による新聞 *Slovenka*（スロベンカ 1887-1902）が発刊されたのもこの時代です。一方、日本でも、大正時代から昭和にかけて社会運動、女性解放運動が行われました。その活動の目的がいずれも、国民・民族意識の覚醒（かくせい）、女性の社会的権利の獲得などであったことを考えると、世界の異なる場所で時期を同じくして類似した活動が見られることに、大きな興味を覚えます。

SLOVENKA
Glasilo slovenskega ženstva
Št. 1.
V Trstu 2. januvarja
Letnik I.
Slovenka.

俳句と詩、声の文化

はるか東方の国にあった日本を一挙に身近にしたのは俳句でした。俳句は、1970年代、当時のユーゴスラビアに紹介され、現在に至るまで広く人々に受け入れられています。現在では、俳句クラブ、コンテスト、多言語の俳句と意欲盛んに創作されており、名刺代わりに俳句の自費出版本をいただくことも珍しくありません。五七五という型は、一つの情景を描く詩の一つの形式としてスロベニアに定着したようです。また、スロベニアの人々は自国の豊かな自然を誇りに思っていることも、自然を愛（め）でる日本、そこで育（はぐく）まれた俳句を受容する土壌となっているのかもしれません。

スロベニアでは、そもそも詩の創作や鑑賞が盛んです。国内で、年に500もの文学関係のイベントが開かれているそうですが、その中で詩に関するイベントも多くの割合を占めています。最も大きい詩のフェスティバルは毎年夏の終わりに開かれる「詩とワインの日々（Dnevi poezije in vina　https://www.stihoteka.com）」です。この詩祭には、2012年に日本から和合亮一、三角みづ紀氏を始めとする5人の詩人が参加しました。詩祭のクライマックスは、なんと言っても詩人による朗読です。スロベニアの人々は、詩を「ワインを片手に」楽しみます。言語の違いは妨げにはなりません。日本で和歌が好んで朗詠されたように、スロベニアも「声の文化」が大切にされている土地柄だと感じます。

文学の翻訳

スロベニアでは1995年に高等教育機関で日本研究プログラムが創立され、プログラムの修了生たちが輩出されるようになってから、日本の作品の翻訳本が出版され始めました。村上春樹や吉本ばななの作品は、日頃あまり本を手に取らないスロベニアの若者たちも魅了しました。川端康成、大江健三郎などのノーベル賞受賞作家が、近年では川上未映子や谷崎潤一郎が翻訳され、日本文学は以前に比べてスロベニアの人々に身近になりました。その一方で、日本語に訳されているスロベニア文学は多くはありませんが、国民的詩人フランツ・プレシェレン Franc Prešeren（1800-1849）、イヴァン・ツァンカル Ivan Cankar（1876-1918）の短編小説のいくつかは日本語で読むことができます。特にツァンカルは、20世紀初めの社会に住む庶民の行き場のない状況や葛藤を社会的問題として描いており、アルマと同様、この時代の世界的に共通した状況を窺い知ることができます。

イヴァン・ツァンカル

また、近年はスロベニアでもいわゆる越境文学の隆盛が見られます。現オーストリア南部スロベニア人居住地域出身のマヤ・ハーデルラップ Maja Haderlap（1961-）やクロアチアとボスニアにルーツを持つゴラン・ヴォイノヴィチ Goran Vojnović（1980-）などは、中央とは異なった視点でスロベニアと周辺文化を見つめています。

近い将来は、出版社・翻訳者が選ぶ作品だけではなく、文学という芸術、世界文学の中の日本文学あるいはスロベニア文学として、文学作品が体系的に紹介されていくことを望みます。このような「理由のある翻訳」は文学を通した両国の理解をより深化させるでしょう。そのためにはスロベニアにおける日本文学研究、日本におけるスロベニア文学研究の発展が必要不可欠であることは言うまでもありません。

＝さらに深く学ぶために＝

- イヴァン・ツァンカル『イヴァン・ツァンカル作品選』（イヴァン・ゴドレール、佐々木とも子訳）、成文社、2008
- 宍戸節太郎「スロヴェニア・モデルネの誕生―イヴァン・ツァンカルのウィーン」『國學院雑誌』第121巻第6号、2020・6
- 三田順「第46章文学①」「第47章文学②」柴宜弘、アンドレイ・ベケシュ、山崎信一編著『スロヴェニアを知るための60章』明石書店、2017

（守時なぎさ）

— *column* —ミロシュ・ツルニャンスキーと『日本の古歌』

セルビアで日本の伝統詩を最初に紹介した書物は、わずか64頁の『日本の古歌』*Песме старог Јапана* という小さな本です。セルビア現代文学の巨匠、ミロシュ・ツルニャンスキー Милош Црњански（1893-1977）が、編集と翻訳をてがけています。ツルニャンスキーは、第一次世界大戦でオーストリア＝ハンガリー帝国領内の学徒強制動員によりガリツィア戦線へ送られます。過酷な体験をもとに、1919年に詩集『イタカの抒情』*Лирика Итаке* を発表。翌1920年から1年ほどパリに滞在し、パリ国立美術館、ギメ東洋博物館で、翻訳詩集の資料を集めて帰国、『日本の古歌』は1928年にサラエボとベオグラードで刊行されました。『万葉集（まんようしゅう）』の長歌（ちょうか）や短歌から江戸俳句まで98作品を収め、文学史を概観した序文も付されています。英語、仏語、独語などの翻訳詩集をもとにした重訳ですが、今なお大切な一冊です。比較文学研究の観点からも、この一冊からセルビアの前衛詩運動の思想と詩学が広がり、当時のヨーロッパの詩人たちやリトルマガジンの研究へと私たちを導き続けています。

この本を教えてくださったのはサラエボ大学留学時代の指導教官、ラドバン・ブチコビッチ教授、1979年の晩秋でした。その時は、ここまで来て和歌や俳句の翻訳研究なんて、と思いました。この本との再会は、10年後のベオグラード。ベオグラード文学芸術研究所のアレクサンドル・ペトロフ教授から、『日本の古歌』の復刻版を刊行するので解題を執筆してほしいと依頼があり、この仕事が比較文学研究の出発点となりました。ツルニャンスキーは私の宿命でした。

まず歌人の名前を確定し、長歌、短歌、俳句の原文を確定する作業から始めました。思ったよりも難しく、確定できたときの喜びは測り知れません。次に翻訳と原文とを比較してテキストを分析。どんな翻訳書や研究書を参考にしたか、どの部分を取り入れているかも調査しました。俳諧（はいかい）の章では、フランスのポール＝ルイ・クーシュー Paul-Louis Couchoud による紀行文が、パッチワークのごとく繋げられていることもわかり、発見でした。クーシューの原文のどこを切り捨てたかを見ると、ツルニャンスキーの美意識が浮かび上がりました。

『日本の古歌』の魅力は、「桜」のモチーフにあります。詩人は、日本文化では桜が無常観を象徴していることを深く理解し、さらに東洋的な「無」の定義に結びつけ、意図的に桜をライト・モチーフとしてアンソロジーを編んでいます。巻頭には詩人自身による警句、「桜の花よ、おまえは命になんとそっくり」が置かれています。収められた98の作品のうち16作品が桜を詠（うた）い、無常のイメージを形成しています。解説では、仏教的な愛を「自然の中に自分自身が溶け込む一体感」と記し、東洋の思想に傾倒していました。桜の花は、ツルニャンスキーの詩にも現れます。故郷の丘を詠った「ストラジロボ」„Стражилово“ をはじめ、1920年以降の詩作品に「無常」の形象として詠われ、第一次世界大戦の悲劇の記憶が重ねてられています。

『日本の古歌』は、日本文学を外側から見つめる視点を私に与えてくれました。文学にとって普遍とは何か、民族の個性とは何か、ツルニャンスキーは問いかけています。

＝さらに深く学ぶために＝

・山崎佳代子『セルビア・アヴァンギャルド詩と『日本の古歌』』第305回日文研フォーラム、国際日本文化研究センター、2016

・金子美都子『フランス二〇世紀詩と俳句』平凡社、2015

（山崎佳代子）

― *column* ―ポーランドと日本との〈文学交流〉

20 世初頭に「ジャポニズム」と言う現象はポーランドに到達しました。ポーランド人は日本文化に興味を示し、日本文学のポーランド語訳や日本をテーマにした作品が出版されるようになりました。両国の〈文学交流〉の形は、3 種類に分類できます。第 1 は、ポーランド語訳を通じたポーランド人の日本文学への接触、第 2 は、日本文学から取り入れたモチーフ、文学技法などをポーランドの作品に導入しようとする試み、第 3 は、一種のエキゾチズム、異国趣味の象徴としてポーランドの作品における日本の事物への言及とその登場です。

ポーランドの読者が初めて日本文学に接したのは、日露戦争（1904-05）後です。当時の翻訳は、日本語の原文からではなく、英語その他のヨーロッパ言語を通してなされました。ラフカディオ・ハーン Lafcadio Hearn や岡倉覚三（天心）の著書が日本を紹介する重要な作品でした。第二次世界大戦後は、日本文学は、芸術的価値をもとに選択され、また日本文学専門家や研究者が原文から翻訳するようになりました。ヴィエスワフ・コタンスキー Wiesław Kotański の『日本古典文学集』、『古事記』、『雨月物語』、川端康成『雪国』の翻訳はその例です。芥川龍之介、安部公房、谷崎潤一郎、夏目漱石、大江健三郎、遠藤周作などの翻訳に携わったミコライ・メラノヴィッチ Mikołaj Melanowicz も重要な翻訳者です。21 世紀に入ってからは、アンナ・ジエリンスカ＝エリオット Anna Zielińska-Elliott の翻訳による村上春樹の小説が高く評価されています。近年では、女性文学が人気を集め、円地文子、有吉佐和子、村田早紀、小川洋子、川上弘美、松田青子らの作品が相次いで翻訳されています。

〈文学交流〉の第 2 と第 3 の側面として、戦前には、江戸時代のモチーフに言及した作品がいくつか出版されました。ノーベル賞受賞作家スタニスワフ・レイモン Stanisław Reymont が『こむらさき』（1903）の寓話を書き、ウワディスワフ・ウミンスキ Władysław Umiński の *W krainie wschodzącego słońca*（日出づる国で、1911）の中には日本の若者についての小説があり、北海道を訪れたワクラフ・シェロシェフスキ Wacław Sieroszewski もこむらさきと権八の悲恋を描いた小説 *Miłość samuraja*（恋するサムライ、1926）というを出版しました。最近では、特にマイア・リディア・コサコフスカ Maja Lidia Kosakowska の、未来にタイムスリップした戦国時代の武士を描いた SF 小説シリーズ『たけし』（2014-22）が人気を集めています。

芭蕉、一茶、蕪村の句を集めた『俳句』（アグニェシュカ・ズラフスカ–ウメダ Agnieszka Żuławska-Umeda 訳、1983）の出版後、俳句はポーランド詩人の間で大流行します。初めて正式なリズムに則った俳句を詠んだレシェック・エンゲルキン Leszek Engelkin は、*Autobus do hotelu Cytera*（シテラホテル行きのバス、1979）と *Haiku własne i cudze*（自分と他人の俳句、1991）という作品集を出版しました。それ以前にスタニスワフ・グロホヴィアク Stanisław Grochowiak が *Haiku images*（俳句イメージ、1978）を出しています。彼の作品は俳句の形式を完全に踏襲していませんが、色彩語と自然描写は俳句の特徴をよく捉えています。またノーベル賞受賞者のヴィスワ・シンボルシュカ Wisława Szymborska は、詩集 *Ludzie na moście*（橋の上の人々、1986）を出版、その中に、浮世絵と俳句からインスピレーションを得て、雨のなか、橋を渡る人々を描いた詩を収めています。エヴァ・トマシェフスカ Ewa Tomaszewska の編集による *Antologia polskiego haiku*（ポーランド俳句集、2001）も出版されました。

（イヴォナ・コルジンスカ＝ナブロツカ）

—— *column* ——日本とウクライナ

ウクライナの読み物というと、まず小学校の教科書でウクライナの昔話『てぶくろ』Рукавичка を読んだことを思い出す人もいるでしょう。しかし、それ以外は思いつかないというのが正直なところではないでしょうか。日本人にとってのウクライナ文学は、ロシア文学の古典の枠組みの中で語られてきました。ルーシ Русь 公国 が現代に伝えた古典文学は日本においても長年の研究実績が蓄積されています。たとえば『原初年代記』Повість временних літ や『イーゴリ遠征物語』Слово о полку Ігоревім などは日本語でも翻訳を読むことができます。しかしウクライナ人たちは、自分たちの祖先の物語が世界中でロシア文学の一部としてだけ語られてきたことに強い不満を抱いています。無視され消し去ろうとする者たちから自分たちの存在を守り主張することが、ウクライナ文学の根底にも流れています。ソビエト時代には国民詩人のタラス・シェフチェンコ Тарас Шевченко (1814-61) の詩は『死んだら私を葬ってくれ』Заповіт などが現地で和訳され、近年では藤井悦子によって『コブザール』Кобзар も訳されましたが、残念ながら研究者や一部の読者以外の関心を引き付けるには至っていません。ウクライナ文学作品の原文からの和訳という仕事がいかに手つかずなのかがわかります。

一方、ウクライナでは日本文学に関心はあるが、ウクライナ語訳が不足している状態です。これはウクライナ人の多くがロシア語訳を通して日本文学に親しんできたという現実があったからです。質量に勝るロシア語出版物の前にはウクライナ語版の販売数は少なく、出版ビジネスとして成り立ちませんでした。しかし、イヴァン・ジューバ Іван Дзюба による日本の昔話や村上春樹作品のウクライナ語訳などは、そのような中でも多くの読者に愛されてきました。ウクライナの中高生の外国文学の教科書には、芭蕉の『奥の細道』、川端康成の『千羽鶴』など解説と抜粋が掲載されています。日本文学を学ぶ学生のために、ウクライナ語で書かれた古典から近世に至る日本文学の解説・抜粋集も出版され、学生や研究者または一般読者に向けて『古今和歌集』、良寛の俳句、川端康成の『眠れる美女』なども訳されています。今後は特に現代作家や多様なジャンルの新しい作品のウクライナ語訳が、広い読者層に読まれることが期待されています。

日本とウクライナの〈文学交流〉研究は、ウクライナで発表されたものが数多くあります。日本のウクライナ文学研究は今後大きな発展が求められています。日本語で書かれている日本文学との関連性のある研究発表は江川裕之による三島由紀夫『サド侯爵夫人』における女性語表現をウクライナ語訳と比較して考察したものがあります。三島はこの戯曲を通して日本語の女装文体を駆使し、「女」を極限までに表現しました。ウクライナでは２名の翻訳者がこの作品を訳しており、この研究ではジェンダー表現がいかに訳出されているかを明らかにしています。

＝さらに深く学ぶために＝

・『ロシア原初年代記』（國本哲夫他訳）、名古屋大学出版会、1987
・『イーゴリ遠征物語』（木村彰一訳注）、岩波書店、1983
・タラス・シェフチェンコ『シェフチェンコ詩集コブザール』（藤井悦子編訳）、群像社、2018
・江川裕之「ウクライナ語訳三島由紀夫『サド侯爵夫人』における女性語表現」『日本語とジェンダー』vol.XIII、2013・6

（江川裕之）

Ⅶ 〈文学交流〉を学ぶために

日本文学研究のための中国語

日本と大陸文化

日本の言葉、文化、思想は、長い歴史を通して中国と深い関係で結ばれてきました。早い段階では朝鮮半島を経由し、のちに直接の交流を経て、大陸文化から多大の影響を受けています。夏目漱石の『文学論』に、「余は少時好んで漢籍を学びたり。之を学ぶ事短きにも関らず、文学は斯くの如き者なりとの定義を漠然と冥々裏に左国史漢（儒教の経典『左伝』、『国語』、歴史書『史記』、『漢書』）より得たり」という一文があります。形式や語彙だけでなく、そもそも「文学」の定義は、中国の古典から着想を得ていたと述べています。このように、大陸文化は日本の知識人に大きな影響を与えてきました。この項目では、主に近代以前の古典文学から、近代に至るまでの交流を紹介しつつ、日本文学研究に際して中国語を学習する意義を明らかにします。

中国語「訓読」と日本語の表記

日本で現存する最も古い記録である『古事記』や『日本書紀』は、8世紀初頭に編纂されたものですが、もっぱら中国の文字である漢字を使用して書かれています。漢字は、言うまでもなく中国語を書くために発展してきたもので、本来「外国語」である日本語を記録するためのものではありません。また、漢字を使用したこれら書物が日本で作られるまでに、漢籍（儒教経典、文学、歴史書など）や仏教経典が、長い時間をかけて朝鮮半島から日本に伝来しましたが、これらのテキストは、当時の中国語で書かれています。仏典は、厳密にはサンスクリット語などの原典から翻訳された中国語訳ですが、これもやはり日本の人々からみて「外国語」です。では、当時の人たちは、どのようにこれらの書物を読んでいたのでしょうか。

日本の中で「外国語」として当時の中国語を身につけ、中国の書物や仏典などをそのまま読んで理解する人もいました。たとえば、遣唐使として中国に渡り、唐 Tang の玄宗皇帝に仕えた阿倍仲麻呂（698 または 701-770）。彼の帰国の際に、詩人の王維 Wang Wei や李白 Li Bai/Li Po らが、詩を作りました（☛「奈良時代〔6～8世紀〕文学交流」）。また、聖武天皇（701-756、在位 724-749）の時代に、日本に招請された僧侶鑑真 Jianzhen の弟子淡海三船もその可能性があります。

しかし、このような直接交流を持った人々はあくまでも例外的あり、日本にいる多くの知識人は、漢籍や仏教経典を「外国語」である中国語として読まず、「訓読」という独特な方法で内容を理解しました。本来、孤立語（「格」case の違いによる活用をせず、それを示す格助詞も用いない）である漢文を、語順を入れ替えたり、「てにをは」などの助詞を補ったりする作業に加え、語彙も日本語に入れ替え、たとえば「花」という漢字を本来の読みに近い音の「カ」ではなく、ヤマトことばの「ハナ」と読ませるなど、「外国語」である漢籍を日本語に置き換えて読んだのです。この技術は、もともと漢籍と仏教経典を日本に伝えた朝鮮半島で発展したものである可能性があります。日本では、訓読は、中国語の文章を読むために日本語に「翻訳」する手段であっただけでなく、漢字を用いて日本語を書く技術の発展にも大きく寄与しました。いろいろな漢字の字音を借りて、日本語の発音に近いものに当てる「音読み」と、漢字本来の意味を用いてヤマトことばで読ませる「訓読み」の両方を組み合わせた文体が作られました。オーソドックスな漢文体をめざした『日本書紀』と違い、『古事記』では「和化漢文」（「倭文体」とも）が用いられました。『万葉集』では、「正訓字」（日本語とほぼ同じ意味の漢字を直接日本語に当てる用字。例、日本語「ヤマ」に漢字「山」）と、漢字の音を利用する「万葉仮名」を多様に組見合わせた書記が見られ、世界の文字史研究の豊かな材料となっています（ディヴィッド・ルーリーによる）。

「訓読」の限界

このようにして、「外国語」として中国語を習得しなくても、「訓読」の技術を応用すれば漢籍が読めるという興味深い現象は日本で定着しました。しかし、この手法には限界があります。なぜなら「訓読」は、あくまでテキストを日本語に置き換えて読み下す方式なので、散文の内容を理解するには十分ですが、音調の抑揚や韻の調和など、音声言語の美を味わう詩歌を読む際に、本来の享受とは大きく異ってしまうからです。

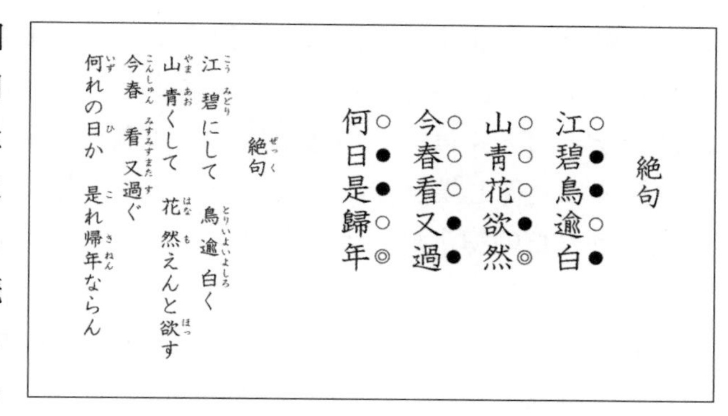

たとえば、杜甫 Du Fu の五言絶句を、読み下し文で読むと意味は理解できます。しかし、読み下し文は散文の説明文のようです。詩の本文では、韻の他に、図の白と黒の丸で示した「平仄」があります。音の高低と長短との複合により、平声・上声・去声・入声に分類され、それぞれのルールに従って平仄にあった漢字を使用することで、音調が整い美しく聞こえるのですが、読み下し文ではこれが抜け落ちてしまいます。

禅僧がもたらした文化

平安時代に、遣唐使に命じられた菅原道真が、動乱が続く不安定の大陸の政治状況を背景に遣使の停止を上奏し（894）、唐への遣使が終わりを告げました。中世に入ると、日本の知識人による大陸との人的交流が再び活発になります。鎌倉幕府が誕生してから室町時代に至るまで、朝廷ではなく主に武家政権の支援で、禅宗の僧侶たちが宋 Song や明 Ming の時代の中国に渡りました。中国南方の浙江地方を中心に、禅僧による人的ネットワークが構築されました。日本の臨済宗の開祖栄西や、曹洞宗の開祖道元は、南宋 Nansong 時代の大陸に渡り、嗣法（禅の初祖達磨から代々受け継がれる教え）の印可（悟りを得たことの証明）を得ました。禅僧たちは、漢籍をはじめ哲学、歴史、芸術、書道、絵画などの文化を積極的に吸収し、禅にとどまらない大陸文化を総合的学問として日本に伝えました。宋・明以降に大陸で発展した新しい儒学「理学」（日本で言う「朱子学」）を日本に紹介したのも禅僧たちです。また、建長寺の開山の祖蘭渓道隆 Lanxi Daolong や、建長寺の管長となった無学祖元 Wuxue Zuyuan など、日本に渡った中国の禅僧もいました。南宋の制度をモデルにして、格式の高い官寺を「五山十刹」と呼び、漢詩文などの芸術が禅院を中心に発展し、「五山文学」として花開きました。禅僧たちは、時には外交使節の役割も果たしました。元 Yuan の使者として日本に派遣された一山一寧 Yishan Yining は、その後日本に留まり、京都南禅寺の三世住職になりました。

禅僧は武家の学問の師となり、政治の分野にも影響力を果たしています。鎌倉幕府が滅び、京都で足利幕府は開かれますが、鎌倉五山と類似する仕組みが京都にも存在し、「京五山」と呼ばれています。特に三代将軍足利義満（1369-95）は、中国との関係と人的ネットワークを駆使して、明との貿易で得られた富を背景に、輸入した「唐物」に囲まれ、宮廷文化、大陸文化、そして武家文化を融合した「北山文化」を築きました。その象徴が、古典芸能の能楽や、「金閣寺」の愛称で知られる鹿苑寺です。

「呉音」・「漢音」・「唐音」

このように、中世以降も大陸文化は日本に大きな影響をもたらしましたが、この間、中国語は変化し続けています。中国語は、漢字で書かれますが、地域によって発音や口語的表現が大きく異なります。語彙も時代によってさまざまに変化しています。異なる時代、異なる地域で中国語を学んだ人々は、その都度新しい知識を仕入れては、日本に伝えました。そのため、現代日本語では、同じ漢字でも複数の読み方が存在します。六朝時代の中国南方の呉 Wu の地方と交流を持った朝鮮半島の人々が日本に伝えた読み方は、「呉音」（たとえば「天女」の「女」をニョと読む）と呼ばれ、隋 Sui や唐の北方音を伝えた「漢音」よりも、中国語音の古形を反映していると考えられています。「呉音」は、仏教に関係することばに多く見られます。奈良時代後期から平安時代にかけて、遣唐使や留学僧たちによって伝えられた唐の首都長安 Chang'an、副都洛陽 Luoyang の読み方を「漢音」と呼び（たとえば、「女性」の「女」をジョと読む）、現代日本語の「音読み」では、「漢音」に基づくものが一般的です。「呉音」と「漢音」が日本での漢字音として定着したあと、新たに中国より伝わったものは「唐音」（「宋音」とも。「行脚」をアンギャと読み、「暖簾」をノレンと読み、「提灯」をチョウチンと読むなど）と言います。「唐音」は、古くは平安時代中期（北宋 Beisong の時代）に商人によって伝えられた漢字音や、鎌倉時代（南宋～元初）に臨済・曹洞系の禅僧によって伝えられたもので、主として江南浙江地方の漢字音になります。また、禅僧による禅の公案（いわゆる「禅問答」）には、宋代以降の口語の影響も見られます。

近世に到来した新しい中国語

江戸時代に入ると、徳川幕府が社会秩序を定め、大名たちが容易に反旗を翻すことができないような施策を行いました。「四書五経」（儒教の主要な九つの経典）が武士にとって基本的教養の一つになり、各地に藩校と呼ばれる学問所や孔子廟が設けられ、漢詩文の素養が重視されました。このように漢学の素養は、明治以降にも知識人の教養の中に残ります。冒頭に引いた漱石のことばもその現れです。江戸時代に日本に渡った大陸の知識人に朱舜水 Zhu Shunshui がいます。朱舜水は、ツングース系の満族に滅ぼされた明朝の再建を夢見て、援軍を求めて来日しましたが、最終的には徳川光圀（1628-1700）の招聘に応じ、水戸藩に落ち着きます。儒学を教え、のちに光圀が編纂した『大日本史』に代表される初期水戸学の形成に大きな影響を与えました。仏教では、江戸時代初期（明末）に黄檗宗の隠元隆琦 Yinyuan Longqi が日本に渡り、日本の黄檗宗の開祖になりました。隠元禅師によって伝えられた南京官話系の漢字音や、長崎通事（通訳）によって伝えられた杭州 Hangzhou 語とその他の漢字の読み方もしばしば「唐音」と呼ばれました。日本でも人気を博した白話（口語体）小説の『三国志演義』、『水滸伝』なども長崎から輸入され、「訓読」だけでは理解しきれない複雑な言語空間を日本の人々に示しました。

また、江戸時代では木版印刷の技術の進展とともに、中国の書物の日本版である「和刻本」が大量に作られましたが、日本の読者の多くは「訓読」によってそれらを読んでいました。これに異議を唱えたのが漢学者荻生徂徠（1666-1728）で、「聖人と申し候ふも唐人、経書と申し候ふも唐人言葉にて候ふ故、文字をよく会得不仕候ひては、聖人の道は得難く候ふ」（『徂徠先生答問書』）と、聖人の「道」を極めるには、聖人の言語で理解すべきであることを主張しました。

近代における中国語と日本文学

以上見てきたように、長い歴史の中で、大陸文化は常に日本にインスピレーションを与え続けてきましたが、明治維新以降に状況が少しずつ変化していきます。19世紀中期には、植民主義と帝国主義の影響力が東アジア地域に達しました。アヘン戦争（1840）で清(しん) Qing がイギリスに敗れるという現実を目の当たりにした日本は、植民地化されることを避けるための方策を模索します。そして、明治政府は、「文明開化(ぶんめいかいか)」と「富国強兵(ふこくきょうへい)」を掲げて中央集権的国家体制の確立をめざし、近代化＝西洋化の道を進みました。西洋の知識や学問を紹介するため、列強から講師を招き、西欧のことばで書かれた書籍の翻訳も行われました。西洋の知識と学問、そして西欧諸国のことばの習得にプライオリティが置かれたのです。日清戦争(にっしんせんそう)（1894-95）で勝利した日本は、近代化の成果を内外に示すことになりましたが、こうした成功のモデルから学ぼうと、清末から民国にかけて多くの中国人留学生が日本に渡り、社会科学や自然科学など多くの分野の学問を学ぶことになります。魯迅(ろじん) Lu Xun（1881-1936）は日本留学を経て、「新文化運動」で活躍し、書きことばとは異なる口語文による新しい中国文学の確立に貢献しました（☛「魯迅」）。また多くの文献学者が日本を訪れるチャンスに恵まれ、中国では散逸するも日本に残された文献を研究しました。楊守敬(ようしゅけい) Yang Shoujing、羅振玉(らしんぎょく) Luo Zhenyu などは調査の傍(かたわ)ら、京都を拠点に漢学を研究する内藤湖南(ないとうこなん)などの学者たちと交流しました。京都学派の漢学から薫陶(くんとう)を受けた吉川幸次郎(よしかわこうじろう)は、「外国語」として中国語を習得するため北京(ペキン)に留学します。

明治から大正にかけて、日本の文学者たちは西洋の学問や芸術をお手本にしながらも、日本の伝統に多大な影響を与えた漢学の素養も持ち合わせ、大陸の文明や伝統に敬意を持ち続けました。精神世界の中での文明国である中国に対する憧憬(しょうけい)と、目の前にある戦乱と半植民地支配に苦しむ現代中国との落差に引き裂かれつつも、交流を持ち続けたのです。芥川龍之介(あくたがわりゅうのすけ)、谷崎潤一郎(たにざきじゅんいちろう)、佐藤春夫(さとうはるお)は中国に訪れ、上海(シャンハイ)などを拠点に中国の知識人や作家たちと交流しました。彼らは「外国語」としての中国語を習得することはありませんでしたが、中国をテーマとした作品や旅行記、また、上海で郭沫若(かくまつじゃく) Guo Moruo、田漢(でんかん) Tian han、郁達夫(いくたっぷ) Yu Dafu など中国文壇との交流について記録を残しました（☛「日本と上海」）。

以上のような歴史を振り返るならば、これからの日本文学研究には、「訓読」はもちろん、「外国語」としての中国語を学ぶことも大切なことを強調したいと思います。

＝さらに深く学ぶために＝

・有馬義貴ほか編『新潮ことばの扉　教科書で出会った古文・漢文一〇〇』新潮文庫、新潮社、2017
・河野貴美子ほか編『日本「文」学史』第一冊（「文」の環境―「文学」以前）、勉誠出版、2015
・ディヴィッド・ルーリー『世界の文字史と『万葉集』』笠間書院、2013
・斎藤希史『漢文脈と近代日本―もう一つのことばの世界』NHKブックス、日本放送出版協会、2007

（孫　世偉）

日本文学研究のための英語 —— 世界との対話のための英語による日本文学研究

英語で日本文学を研究する意義

グローバル化 / 英語化に対応するために、日本の多くの大学は「国際日本学」という学部を設置し、一定の基準を満たしたとみなされる、日本語や英語、その他の言語を理解できる学生を受け入れ、同じ教室で、日本について概(おおむ)ね英語で講座を提供しています。その目的は、卒業後に立派な社会人としてこのグローバル化 / 英語化に対応することができる人材を育成することであり、さらに、日本について学生たちに「外」で発信させることも重要な目標でしょう。

「国際日本学」を専門として設置するのは、そうした看板が、主に日本語で小中高校などでの教育を受けた学生向けのアピールポイントになるからでしょう。英語では、同じ「国際日本学」を言うにしても、International Japanese Studies ではなく、通常は、Japanese Studies と表記します。この表記の違いが予見させるように、また一目瞭然であるように、同じ教室で、日本語環境で教育を受けてきた大学生とそうではない大学生が、「日本」について学ぶことは、実は単純なことではありません。それぞれの教育において、少なくとも日本学という学術研究を教える場合は、その達成目標が違ってくることを、しっかりと確認しておかなければなりません。また、日本文学研究のための英語を習得することや、英語で日本文学を大学で勉強することにも、ある種の「死角」があります。

学術研究の訓練は、通常学部から出発しています。留学生を含めて、日本語環境で育っていない大学生についてはいったん置いておいて、日本語で教育を受けてきた大学生に対して「母国」を英語で教えることの教育目的が問題とされ、「外」においてどのように日本のことを表象してきたかを読み解くことを通じて、「新しい気づき」を得たり、「新たな視点やアイデア」に出合ったりすることが当然の目的になっています。

しかし、これには考えるべき点があります。第 1 は、このような目標のなかでは、留学生への教育が後回しにされていること。つまり、日本文化そのものが初学である留学生のニーズに応えるものではないということです。日本について議論しようとしても、留学生にとっては、まず日本についての基礎知識を学ぶことが必要という現実を無視することはできません。

第 2 は、英語という「外」で表象されてきた日本について読み解くことが、果たして本当に「新しい気づき」や「新たな視点やアイデア」につながるかという点です。英語で「外」を通して論じられる日本について学んで新しいことに気づくというのは、英語で語ることによる異化の効果でしかないと言えます。忘れてはいけないのは、そもそも読解 / 分析の対象であるテクストの言語は日本語であり、「新しい気づき」や「新たな視点やアイデア」といっても、その「新しさ」とは何かを考えないといけないし、ただ英語で日本文学作品を読むだけで、テクストや物事を主 / 客観的や論理的に考察する能力を養うことができるかは、大いに疑問です。

以上のような教室で直面する問題以外にも、「国際日本学」は政治的な観点からも複雑な学問であることを意識しなければなりません。日本文学を英語で読むことによっていわゆる「〈日本人〉としての自己の再確認」をしようという目的は、必然的に日本人と日本文学や文化がいかにも特殊であるかのようなアイデンティティ主義を導きがちです。「「外」からの視点で日本文学を英語で学ぼう」といった文言にすでに見て取れるように、日本人の精神性は「外」

と「内」の二分性を前提にしてしか理解できないととらえているかのようです。「外」からやってくる者は、たとえその国の言語を習得しようと何をしようと、いつまでも「外」の人間として扱うという排他的な考えが、先立ってはいないでしょうか。学会や研究企画、大学の宣伝ポスターに日本語で「「外」から見える日本を考えよう」といったスローガンを掲げることで、「外」と「内」の二分性をいかに（再）内面化してしまっているかを意識する必要があります。

近代化の過程で、複数の価値観やアイデンティティを主張するポスト・モダニズムな思想を心掛けようとしている日本文化が、ここにきてむしろ後退しているとさえ見える。この新しい学問分野は、その取り扱い方次第では、ポスト・モダニズムという性質を希薄にしてしまう可能性があります。それではこの新しい学問分野を、排他性を回避しながら、どのように切り開いていくことができるでしょうか。

以上の問題点を念頭に置いて改めて「日本文学研究のための英語」とはどのような学問や授業内容であるべきかを考えないといけません。

英語は、特に日本の大学生にとっては日本文学を総合的に理解し研究するためのツールの一つでしかないと認識することから始めましょう。言うまでもなく、日本文学を英語で学ぶということは、日本語のテクストの翻訳版を精読することから始まるのですが、面白いのは、受講者は両方の言語を読みこなすことができ、読者が日本語テクストと英語のテクスト、すなわち原作と翻訳テクストの間を往来することになることです。

日本の大学生にとって日本文学は自国語で書かれた自国文化の表象なので、原作の読解には不自由がなく、英訳テクストの読解にあたっても原作の理解をなぞればよいので、「世界文学」を原語でまたは和訳で読むときと異なって、テクストを通じて異文化を体験しているとは言えないです。

英訳者は、異文化圏の文学として日本文学を英語に翻訳するにあたって、ある言葉に英語の適切な訳語が存在しない場合、すなわち意味的に「等価」な英語が無い場合には、日本語をローマ字表記するなどして「異化」すること（目標言語に存在しない場合、原作のことばを使用すること。たとえば、袴を *hakama* と表記する）で処理していることがあります。学生たちは、原作と翻訳の往来行為の際に、英訳テクストの中でそのことばに注目するわけですが、その注目の結果が「いかにこれ（袴）は日本特有なものであるか」ということのみの強調で終わりがちです。

日本では、世界の多くの言語で書かれた文学作品の数々が、和訳で入手でき、「世界文学」（「翻訳文学」）という一つのジャンルとして確立しています。それが世界的にみても稀有（けう）な現象であることは、ここでは新たに論じなくてもよいでしょう。しかも、たった一つの作品に対して、時代ごとに翻訳しなおされ、いくつも和訳が存在しています。「世界文学」が日本で愛読される理由もそこにあるのかもしれません。しかしその一方で、日本文学に関しては、日本特有なものであり、世界文学の一部であるという意識がもてないまま終わってしまうことがしばしばあります。無意識のうちに自分たちの文学は特殊で自分たちだけのものだと考えていませんか。

たとえば、授業中に私は「日本文学ってなんですか」と漠然と質問をすることがあります。よくある解答として、「季節の色彩描写があるのは日本文学です」というものがあります。学生になぜそう思うのかを聞くとやはり「日本には美しい、はっきりとした四季があるからです」と答えるのです。ドイツやフランスからの留学生がそのような答えに驚いて、反論することもしばしばありましたが、それは当然です。日本文学を英語で学ぶ際に最も避けるべき態度は、日本文学は「特殊」であると思い込んでしまうことです。日本文学を英語で読むときには、日本文学は「世界文学の一部であり、それと共通性をもっていること」を意識することが重要です。たとえば、秋の描写は他の国の文学の中でも「美しさとともにある種のメランコリーをもたらす」という共通性に気づけば、詩人や主人公たちの精神に一歩近づくことができて、多文化との対話が始まります。そして、その討論のプロセスを経て表れるものこそが、「人間らしさ」を後回しにして特有の階級層（教育機関などを含め）「利益」のみや人間中心主義を優先する新自由主義へ対応できる日本文学や文化の特有の強さでしょう。日本文学は「世界文学」の一部でもあることやその共通性を見出すのは学生や研究者、誰にとっても大事なことです。

研究のステップ

では、そのためにどのような訓練をするのがよいか、「少女病」（田山花袋（たやまかたい）（1872-1930））を例に説明します。

第一段階は、明治期の代表作家である田山花袋の作品を読むという作業を行います。田山といえば「蒲団（ふとん）」（1907（明治 40））が代表作で、日本文学、特に自然主義文学の成立過程を論じる際に欠かせない作品であると教えられています。受講する学生たちも、「蒲団」が英語圏やその他の言語圏でも翻訳されていることは当然だと考えています。しかし、代表作品以外にも彼の作品は英訳があるのかどうか、田山花袋について英語で検索すると、たとえば、面白いことに、「蒲団」と同年に出版された作品「少女病」その他の作品の英訳があることがわかります。英語圏（「世界」）では、田山は、「蒲団」のみが注目され読まれているだけではなく、その他の作品の研究も進んでいることがわかるのです。

戦後の日本文学や文化が世界文学として紹介されたことについては、アメリカの研究者や翻訳者の貢献が大きかったことを認識しないといけない。ドナルド・キーン Donald Keene をはじめ数多くの翻訳者の英訳があったからこそ日本学が成立したのですが、以後も戦後の半世紀にわたり、日本語文学は、あらゆる英語圏の研究者、学生、翻訳者によって翻訳され続けており、皆それぞれの観点から翻訳対象を選択しています。古典の「再訳」への挑戦や、いわゆる「代表作」以外への注目や、独自の興味観点から無名な作家の作を掘り起しも行われています。これらの場合、正規の出版社のみならずインターネットのブログ投稿などで英訳が発信されていることもあります。そのような作業を通じて日本文学や文化への理解が英語圏で広まっていることを認識することができます。確かに、インターネット投稿には翻訳の「質」が問われますが、日本からの頻繁なアクセスというフィードバックによって、「質」の問題も解決していくのではないでしょうか。

第二段階は、辞書の利用です。英語で田山の「少女病」を読む場合、ことばによっては英英辞典、日本語辞典、英和辞典の順に難語を確認しなければいけません。ここで特に大事なことは、ことばが理解できないとき、いきなり英和辞典を参照するのではなく、英英辞典を開くことです。OED 定番の *Oxford Advanced Learner's Dictionary* といった大型の研究辞典で検索することがのぞまれます。そして、ことばを調べる際には一番目の意味だけでなく、他も参照します。その次に、日本語辞典と英和辞典で、ことばの意味はもちろん語源まで確認することが必要です。

第三段階は、英訳の特徴つかむことです。翻訳の方法には流行があります。最新の翻訳では、原作の文化をより理解できるように「異化」技法が多く採用されています。古典化したテクストには複数の英訳があり、最新と従来の英訳の技法を比較しつつ精読することを薦めます。「少女病」には、ケネス･G･ヘンシャル Kenneth G. Henshall による英訳 *The Girl Watcher* , Tokyo: University of Tokyo Press, 1981 や、その他のタイトルでの翻訳が多数あり、翻訳の技法の観点からも比較研究の余地があります。また、ヘンシャルの専門は文学ではなく歴史です。そのことを意識すると、明治の東京やその近代化の歴史を実感するためには、田山の回想記『東京の三十年』を始め、彼の多くの短編が、併（あわ）せ読むべき不可欠のテクストであるという認識が得られます。それらを視野に入れることで、「少女病」も十分な歴史的再現力をもつことになります。歴史学者が、文学テクストを媒介として、学際的な日本の近代、近代都市の理解のために翻訳を行ったことを意識することには、そのような意義があります。

第四段階は、テクストの原作と英訳の精読が終わってからの研究で、自分がどの点が気になったかを常に正確にメモしておくことが重要です。まず、大手の英語圏の新聞や雑誌（たとえば *The Guardian* や *The New Yorker*）にテクストの作家についての批評などが載（の）っていないかを確認することです。田山を含め明治時期の知識人については少ないかもしれませんが、川上未映子（かわかみみえこ）（1976-）のような現代作家については、作家についての記事も、作品の詳しい批評も数多く掲載されています。メモが集まれば、日本語の情報と英語の記事を比較しながら、世界が注目する川上の評価を自分の視点でまとめることができるはずです。また、田山らのように、作家についての記事が少ない場合でも、同時代の日本の知識人や、英語圏の文学運動の特徴などについて調べてゆくと、しばしば、日本文学の動態と、同時代の英語圏の文学運動との共通性などに気づきます。それをメモします。このように記事を読んで解釈し、メモしていくことによって、論ずる力がつくだけでなく、英語の文学用語に少しずつ馴染（なじ）んでいっていることに気づくでしょう。

第五段階は、日本語と英語両方で田山自身と彼の作品について、できるかぎり学術論文などを集めて読むことです。英語論文は、まず大学の「海外の論文」データベース（たとえば JSTOR）で探ることからはじめます。さらに、英語の学術書などの情報は、日本関係の大手の出版社や、日本学のコースがあるアメリカその他の大学機関の出版社を中心に調べていきます。これは、日本文学についてレポート、卒業論文や学術論文を執筆する際に欠かせない作業です。日本語で日本文学について論文を書く際にも、今日では英語の先行研究を含めることが不可欠でしょう。たとえば、田山の「少女病」についての英語の最新の論文を検索して、手に入れなければなりません。自分の大学の図書館でその論文の取り扱いがなければ、他大学の図書館との間の取り寄せサービスなどが利用できます（英語のみの研究活動ではなく、もしその研究者が、たとえばフランス語を自由に使用できるのならば、フランス語の先行研究も参考にしてまとめるべきです）。

第六段階は最も重要な段階で、また最も時間がかかる段階ですが、研究論文を読むことを通じて、その論文の論理構成や、論理を支える思想や、スタイルを学び自分のものにすることです。2018 年度の *Journal of Japanese Studies* に掲載されたピエラントニオ・ザノッティ Pierantonio Zanotti の論文 “The Senses of Modernity in Tayama Katai’s “Shojobyo” （1907）”［田山花袋の作品「少女病」における「近代の感受性」］を例にしながら述べます。論文には、本論の前に論文の要約があります。要約を読みこなし、この論文の要約のようにすぐれたものを手本として、自分の論文でも、英語でも日本語でも同様のスタイルと内実を具(そな)えたものを書くように意識することが、まず大事な準備作業です。論文の要約は執筆後書きます、論理的に書くことで、筆者の主張が読者にはっきりと伝わり、筆者自身も自分の論文がどのように読まれたいのか明確に示すことができます。

ピエラントニオの論文は、「観(み)る」という感性の言説分析をし、それが「少女病」の話法にどのように組み込まれているかを明確に示しました。論者は、人間心理の病理的な状態と、高度に発達した技術（ガラス窓からの透視、近代的な交通機関など）との交差が、「近代性」を反映し、「少女病」というテクストの解釈に欠かせないことを論じたのです。タイトルや要約を見るだけでは、日本語論文の書き方や方法論とさほど違わないように見えます。しかし、この論文の最大の特徴は、19 世紀末の技術の発明 / 革新が、変動しないものであると思われてきた人間の感性にどれほどの強い影響を与えたかを、田山を一個の分析対象として鮮やかに示した点にあります。その問題追究は、田山の作品分析で終わらず、そのことが世界文学の問題でもあることを提示し、さらに人間が作り出した「近代性」とは何かを明らかにすることに及んでいます。

この論文は、まず、田山の他のテクストを参照しながら、彼のさまざまな感性の発露の描写に注目し、明治時期の（当然ながら明治期以前の）性科学の系譜も参照しながら論を展開していきます。ここまでは日本で書かれる論文と基本的に同じです。しかし、論文後半は「近代性」とは何かを、英語圏の学術論文、欧米で 20 世紀を通じ ‘modernity’ をキーワードとして書かれてきた膨大な数の論文・著作と照らし合わせながら、トーマス・マン Thomas Mann（1875-1955）をはじめ、世界中の同年代の作家たちの感性に「近代」がもたらした影響を確認し、その延長線で田山のテクストが描写した「近代性による感性の変化」を、高度な技術の発明や発展とその普及とに関連付けながら詳細に分析するのです。この段階で、学生たちは、英語の ‘modernity’ の概念にぴったりと当てはまる日本語のことばがないことに気づくはずです。‘modernity’ というのは、「近代という性質のことなのか？ 近代的なもの / ことなのか？ 近代的な精神なのか？ 語りの一形態やその情勢であるのか？」といった課題を与えられ、以後考え続けることにもなるでしょう。

要するに、日本語と英語の論文の差異は、論文が書かれた言語にあるのではなく、その目標設定にあると言えます。同様に、日本文学を精読し理解するためには、日本語で読むか英語で読むかは、本質的な問題ではありません。日本文学研究を英語で行う意義とは、テクストを、原文と、さまざまな特徴をもった複数の翻訳で精読して、時折「異化」された視点から新鮮に向き合い続けることです。また、日本文学の先行研究として英語圏で蓄積されてきた知見を利用できるようにすることであり、英語圏の研究者たちの思想や理論やまとめ方を学ぶことです。そして、人類が問い続けてきた、たとえば「近代性」といった「共通」の問題に、自分の研究課題がどのような役割を果たせるのか——、そう言った共通性の問題に、自覚的に応じて挑(いど)む意識を育(はぐく)むことであるのでしょう。

（セン・ラージ・ラキ）

あとがき

青山学院大学文学部日本文学科は、2013 年度から「文学交流科目群」という独自の科目を設置しています。この「文学交流科目群」は、次のような科目で構成されています。

日本学入門（半期）　文学交流入門（半期）
文学交流演習Ⅰ・Ⅱ　翻訳演習Ⅰ・Ⅱ　文学交流特講Ⅰ・Ⅱ
日本文学とアジア（半期）　日本文学とアメリカ・ヨーロッパ（半期）
日本文学研究のための英語Ａ・Ｂ

青山学院大学文学部日本文学科は、1966 年に、「比較言語および文学研究の分野における研究の充実」、「西欧の精神文化との総合の立場に立つ新しい日本文化研究の分野における発展」をめざし、「世界的視野に立つ新しい日本文学（日本文化）研究」や「日本文学（日本文化）の海外への紹介および相互の文化交流」を行う学科として創設されました（「文学部日本文学科増設届出書」）。「文学交流科目群」は、このような創設の理念を具体化したものです。

〈文学交流〉という先行研究の少ない研究分野について、それぞれの科目の担当教員が手探りで研究と教育を進めてきました。2018 年 3 月に、専任・非常勤の担当教員が集い、情報交換をし、自分たちの力で、「文学交流科目群」の副読本を制作することを企画しました。これまで、〈文学交流〉についての入門書は存在しておらず、また、5 年間の授業運営によって、入門書をまとめられるだけの研究成果が蓄積されていたからです。

さらに、「世界的な視野」から、日本文学をめぐる〈文学交流〉を広く明らかにするために、青山学院大学文学部日本文学科と学術協定を結んでいる、または、現在学術交流を進めており、将来協定を結ぶ可能性がある海外の大学の日本学科や日本語学科の研究者に、日本文学とそれぞれの地域の文学の交流について執筆していただくことにしました。

この本は、「文学交流科目群」の副読本として編まれましたが、日本文学と海外文学の〈双方向〉的交流や、世界に開かれた日本文学に関心ある人々、また、日本文学研究の新しい方法を模索している若い人々に、青山学院大学文学部日本文学科の研究・教育成果として届けたいと願っています。

図版の掲載について、諸機関からご許可を賜りました。また、資料調査について、青山学院資料センター、青山学院大学学務部教務課、同図書館から格別のご厚情を賜りました。記して謝意を表します。

また、この本の編集は、2018 年 3 月以来、武蔵野書院の本橋典丈氏が担当してくださいました。2019 年末に発生した新型コロナウイルス感染症 COVID-19 への対応のため、執筆依頼に漕ぎ着けるまでに予定以上の時間を要することになったのにもかかわらず、この本にかける思いを強く持ち続けてくださいました。心より御礼申し上げます。

2023 年 2 月 7 日
小　松　靖　彦　記

執筆者略歴（氏名、所属・職位、専攻、学位、主要業績）

小松靖彦（こまつ　やすひこ）〔企画〕
青山学院大学教授、博士（文学）
日本上代文学、書物学、文学交流
『戦争下の文学者たち―『萬葉集』と生きた歌人・詩人・小説家』（花鳥社、2021）、「萬葉集翻訳の創造性―ケネス・レクスロスの翻訳の詩学」（『国語と国文学』第 96 巻第 11 号、2019・11）、「双方向的日本文学研究をめざして」（『昭和文学研究』第 81 集、2020・9）

マヌエル・アスアヘアラモ（Manuel Azuaje-Alamo）
早稲田大学文学学術院准教授、博士（文学）。
ラテンアメリカ文学、世界文学研究、トランスレーション・スタディーズ
The Reptant Eagle: Essays on Carlos Fuentes and the Art of the Novel（共著）, Cambridge Scholars Publishing, 2015. "(In) comparable Poetries and Transpacific Networks of Translation. Matsuo Bashō, Octavio Paz, and the Creation of a Latin American Oku no Hosomichi," *Journal of World Literature* 4:4, 2019. "Narración, exilio, y el traductor translingüístico," *Cuadernos CANELA* 30, 2019.

ローレン・ウォーラー（Loren Waller）
青山学院大学非常勤講師、白百合女子大学非常勤講師、元高知県立大学准教授、Ph.D.
日本古典文学
『万葉集の散文学―新元号「令和」の間テクスト性』（共編著、武蔵野書院、2020）、『新編　土左日記　増補版』（共編著、武蔵野書院、2020）、「文字とことばの間―萬葉集に見る表記の詩学」（『ことばと文字』第 12 号、2019・10）

梅田径（うめだ　けい）
日本学術振興会特別研究員 PD、博士（文学）
『六条藤家歌学書の生成と伝流』（勉誠出版、2019）

江川裕之（えがわ　ひろゆき）
タラス・シェフチェンコ記念キーウ国立大学上席講師
日本語教育、東スラヴ語研究
「日本語からウクライナ語への翻訳上の問題ウクライナ語訳村上春樹『1Q84』を素材として」（『2012 年キエフ国立大学・筑波大学日本研究学術フォーラム報告書』筑波大学、2013）、「ロシア語訳三島由紀夫『わが友ヒットラー』における男性語表現」（Мовні і концептуальні картини Світ, вип.49, Видавничий Дім Дмитра Бураго, 2014）、「日本事情解説書の日本人女性像―ウクライナ・ソ連・ロシア帝国の場合」（『日本語とジェンダー』vol.XVI、2016・6）

沖田瑞穂（おきた　みずほ）
青山学院大学非常勤講師、博士（日本語日本文学）
比較神話学
『マハーバーラタ、聖性と戦闘と豊穣』（みずき書林、2020）、『すごい神話―現代人のための神話学 53 講』（新潮選書、2022）、『怖い家―伝承、怪談、ホラーの中の神話学』（原書房、2022）

河路由佳（かわじ　ゆか）
杏林大学特任教授、博士（学術）
日本語教育、日本語文学
『日本語教育と戦争―「国際文化事業」の理想と変容』（新曜社、2011）、『ドナルド・キーン　わたしの日本語修行』（ドナルド・キーンと共著、白水社、2012、新装版 2020）

ギータ・A・キニ（Gita A. Keeui）
ビッショ・バロティ（タゴール国際大学）教授、Ph.D.

日本語、日本文学（主に宮沢賢治)、日本史、日本文化、パレミオロジー（諺学)、ジェンダー・スタディ、タゴールと日本、日本語のベンガル語への翻訳
Rabindranath Tagore and Japan: The Proceedings of the International Conference on "Tagore and Japan & Various Aspects of Japanese Culture"（編著）, Granthana Vibhaga, Visva-Bharati, 2017. 'Amar Sankalpa' [Translation in Bengali of Miyazawa Kenji's poem "Ame nimo makezu"], *Japanese Literature in Indian Translations: Issues and Challenges,* Northern Book Centre, 2017.「タゴールの詩集『ギタンジャリ』と日本」(『日文研』57 号、2016・9)

藏中しのぶ（くらなか　しのぶ）
大東文化大学教授、博士（文学）
上代文学、日中比較文学
『奈良朝漢詩文の比較文学的研究』(翰林書房、2003)、「南天竺婆羅門僧正碑并序　注釈」(編著、水門の会編『水門―言葉と歴史』第 21 号、2009・4)、「「碑文」体の伝の「銘」と檀像―大安寺三碑と空海撰『故僧正勤操大徳影讃并序』」(小口雅史編『古代東アジア史料論』同成社、2020)

グレゴリー・ケズナジャット（Gregory Khezrnejat）
法政大学准教授、博士（国文学)。
日本近代文学（主に谷崎潤一郎の作品と日本における越境文学)
「谷崎潤一郎の〈スパイ〉小説―「独探」における越境者像」(『日本文学』第 65 巻第 2 号、2016・2)、「体系的知識と断片の美学―谷崎潤一郎「痴人の愛」論」(『青山語文』第 49 号、2019・3)、"The Transnational in Translation: Reading Hideo Levy's A Room Where the Star-Spangled Banner Cannot Be Heard in English," *GIS Journal*, Volume 7, May 2021. 研究の傍ら、創作活動を行っている。『鴨川ランナー』(講談社、2021、第 2 回京都文学賞）や『開墾地』(講談社、2023）など。

イヴォナ・コルジンスカ＝ナブロツカ（Iwona Kordzińska-Nawrocka）
ワルシャワ大学教授、Ph.D.
日本古典文学と文化
Japońska miłość dworska (Japanese Court Love), Trio Warszawa 2005. *Japońska kultura kulinarna* (Japanese culinary culture), TRIO Warszawa 2008 *Ulotny świat ukiyo, obraz kultury mieszczańskiej w twórczości Ihary Saikaku* (Ukiyo–"Floating World, " Depiction of the Culture of Townspeople in the Works of Ihara Saikaku), Wydawnictwa Uniwersytetu Warszawskiego, Warszawa 2010.『源氏物語』初のポーランド語訳を制作中。

ハルミルザエヴァ・サイダ（Khalmirzaeva Saida）
岡山大学准教授、博士（学術）
日本文学、中央アジア文学、比較文学
「話型〈帰還した夫〉の成立と伝播―『オデュッセイア』から『百合若大臣』まで」(『軍記と語り物』第 53 号、2017・3)、「アジア大陸の〈帰還した夫〉―『ゲセル』と『アルポミシュ』をめぐって」(『国際日本学』第 17 号、2020・3)、「バクシの声の文化―宗教と芸能の境界を歩く人々」(『説話・伝承学』第 28 号、2020・3)

徐静波（じょ　せいは　Xu Jingbo）
復旦大学教授、文学修士
中日文化関係、中日文化比較
『近代日本文化人与上海（1923-1946)』(上海人民出版社、2013)、『魔都镜像：近代日本人的上海书写 1862-1945』(上海大学出版社、2021)、『和食：日本文化的另一种形态』(北京联合出版公司、2017)

杉山和也（すぎやま　かずや）
順天堂大学助教、博士（文学）
説話
『南方熊楠と説話学』(平凡社、2017)、『熊楠と猫』(共著、共和国、2018)、『野村太一郎の狂言入門』(共著、勉誠社、2023)

セン・ラージ・ラキ（Sen Raj Lakhi）
青山学院大学非常勤講師、博士（文学）
日本文学、比較文学、学際研究
『明治文学作品を養子法・制度から読み直す』（博士論文、2016）、「国木田独歩の養子反対論と「不自然」な家族」（松田幸子、笹山敬輔、姚紅編『異文化理解とパフォーマンス：Border Crossers』春風社、2016）、「インドのパンデミック「ポップテクスト」―「スーパーヒーロー」の出現と多様性をめぐって」（白百合女子大学言語・文学研究センター編『パンデミックの言説』アウリオン叢書第21号、弘学社、2022）

孫世偉（そん　せい　Sun Shihwei）
青山学院大学助教、Ph.D.
日本上代文学、植民地台湾文学
Sages, Sinners, and the Vernacularization of Buddhism in Nihon ryōiki（Ph.D. 学位論文、UCLA）、「日本統治下台湾の国語教科書における『万葉集』記述について―昭和十二年以降の第四期並びに第五期教科書を中心に」（『戦争と万葉集』創刊号、2018・12）、「戦前国語教科書における『呉鳳』説話―教育効果に対する一考察」（『青山語文』第52号、2022・3）

滝澤みか（たきざわ　みか）
青山学院大学准教授、博士（文学）
軍記物語・中世文学
『流布本『保元物語』『平治物語』にみる物語の変遷と背景―室町末・戦国期を中心に』（汲古書院、2021）、「西道智著『保元物語大全』『平治物語大全』翻刻（一）」（『古典遺産』71、2022・8）

トークィル・ダシー（Torquil Duthie）
カリフォルニア大学ロスアンゼルス校教授、Ph.D.
日本上代文学
Man'yōshū and the Imperial Imagination in Early Japan, Brill, 2014（日本語訳『万葉集と帝国的想像』花鳥社、2023）、*The Kokinshū: Selected Poems*, Columbia University Press, 2023.

田中祐輔（たなか　ゆうすけ）
青山学院大学准教授、博士（日本語教育学）
日本語教育
『日本語で考えたくなる科学の問い』（編著、凡人社、2022）、「デジタル歴史学と日本語教育オーラルヒストリー映像アーカイブ―『日本語教育100年史』事業を中心に―」（『日本語教育史研究』vol.1、38-46、2022）、"The Training of Japanese Language Teachers in China Undertaken by Japanese Local Governments: A Focus on the Chinese Trainees Invitation Project of the Kanagawa Prefectural Board of Education," *The Bulletin of the Institute of Human Sciences* 24, Tokyo University 2022.

常田槙子（つねだ　まきこ）
早稲田大学招聘研究員、博士（文学）
中古文学
「シフェール訳『源氏物語』におけるombreの表象―桐壺更衣と桐壺帝の描写方法」（『文学・語学』第213号、2015・8）、「アルヴェード・バリーヌのとらえた『源氏物語』―女性の教養と自然描写を中心に」（『日本文学』第65巻第6号、2016・6）、「日本文学の越境と交流―Anthologie Japonaise『詩歌撰葉』をめぐって」（甚野尚志、河野貴美子、陣野英則編『近代人文学はいかに形成されたか―学知・翻訳・蔵書』勉誠出版、2019）

アイシェヌール・テキメン（Ayşe Nur Tekmen）
アンカラ大学教授、Ph.D.
日本語文法、日本語教育学、トルコ語対照言語学
『ことたびトルコ語』（共著、白水社、2002）、『マンガ・アニメにみる日本文化』（共編著、文京大学総合研究所、2016）、「ポライトネスと膠着語―日本語とトルコ語をめぐって」（近藤泰弘、澤田淳編『敬語の文法と語用論』開拓社、2022）

西野入篤男（にしのいり　あつお）
桐朋女子高等学校音楽科教諭、桐朋学園大学非常勤講師、明治大学兼任講師、博士（文学）
和漢比較文学、日本古典文学
「「翻訳」「翻案」の創造力へ―『新撰万葉集』から「翻訳の多様性」を考える」（『物語研究』第19号、2019）、「〈余計なもの〉とどう向き合うか―『新撰万葉集』から東アジアの方へ」（『中古文学』第102号、2018・8）、「謝六逸『日本文學史』における『源氏物語』―附〈目次・参考文献表〉」（日向一雅編『源氏物語の礎』青簡舎、2012）

新田杏奈（にった　あんな）
青山学院大学大学院博士後期課程
比較文学（主にタゴール作品の日本における受容）
「増野三良とタゴール英詩集」（『青山語文』第49号、2019・3）、「吉田絃二郎の思想とタゴール」『緑岡詞林　青山学院大学大学院日本語文論考』第44号、2020・5）、「日本におけるタゴール翻訳の歩み―大正期の文学・思想との接点を中心に」（『国際ワークショップ「文化の翻訳、文学の翻訳―ベンガルから日本へ、日本からベンガルへ」』、東京外国語大学南アジア研究センター（FINDAS）、*FINDAS International Conference Series* 5、2022・3）

韓京子（ハン　キョンジャ）
青山学院大学教授、博士（文学）
日本近世文学・演劇
『近松時代浄瑠璃の世界』（ぺりかん社、2019）、「植民地朝鮮における文楽公演」（『日本学研究』檀国大学校日本研究所、第46巻、2015・9）、「近松の浦島物浄瑠璃の構想」（『国語と国文学』第98巻第2号、2021・2）

緑川眞知子（みどりかわ　まちこ）
明治学院大学非常勤講師、博士（文学）
平安朝散文、比較文化 / 文学、翻訳学
『源氏物語英訳についての研究』（武蔵野書院、2010）、"Reading a Heian Blog: A New Translation of Makura no Sōshi,"*Monumenta Nipponica* 63:1, 2008.　"World of Indirectness: Notes Toward a Study of Characterization in the Tale of Genji," *Beiträge zur mediävistischen Erzä hlforschung*, 2020.

守時なぎさ（もりとき　なぎさ）
リュブリャーナ大学准教授、言語学博士
日本語学、日本語教育
"Dyslexia training for Japanese language teachers: it's effects and prospects"（共著）, *The Proceedings of the 21st Japanese Language Symposium in Europe* No. 22, 2017.「非漢字系上級学習者の読解困難点」（野田尚史編『日本語教育学研究 8 日本語学習者の読解過程』ココ出版、2020）、"A comparative corpus-based content analysis of head of government addresses in response to the covid-19 pandemic: Japan and western countries," *Acta linguistica asiatica* 11:2, 2021.

山崎藍（やまざき　あい）
青山学院大学教授、博士（文学）
中国古典文学
『中国古典文学に描かれた厠・井戸・簪―民俗学的視点に基づく考察』（勉誠出版、2022）、『とびらをあける中国文学―日本文化の展望台』（共著、新典社、2021）、『中国古典小説選 1』（共編、明治書院、2007）

山崎佳代子（やまさき　かよこ）
ベオグラード大学大学院教授、博士（比較文学）
詩人、翻訳家
セルビア語による研究書に *Japanska avangardna poezija*（Beograd, 2004）など。詩集に『黙然をりて』（書肆山田、2022）、『海にいったらいい』（思潮社、2020）など。翻訳書にダニロ・キシュ『若き日の哀しみ』（東京創元社、2013）など。エッセイ集に、『パンと野いちご』（勁草書房、2018、紫式部賞）、『ベオグラード日誌』（書肆山田、2014、読売文学賞受賞）、『そこから青い闇がささやき』（ちくま文庫、2022）など

吉田薫（よしだ　かおる）
日本女子大学准教授、文学博士
中国近代文学、中国思想
「“新民”与“死生観”的糾纏―梁啓超従“宗教”到本土文化的関注」（『東岳論叢』第5期、2011・5）、「跨時代、跨国界的“立人”意義―在日本講授魯迅記」（『魯迅研究月刊』第8期、2014・9）、「梁啓超（飲冰）と荘子が辿った「人間世」素描―変法、新民、開明専制を経て」（『日本女子大学文学部紀要』第71号、2022・3）

クリスティーナ・ラフィン（Christina Laffin）
ブリティッシュ・コロンビア大学准教授、Ph.D.
日本中世文学
Rewriting Medieval Japanese Women: Politics, Personality, and Literary Production in the Life of Nun Abutsu, University of Hawai'i Press, 2013. *Saitō Mareshi, Kanbunmyaku: The Literary Sinitic Context and the Birth of Modern Japanese Language and Literature*, ed. Ross King and Christina Laffin, Leiden: Brill, 2020, *The Noh Ominameshi: A Flower Viewed From Many Directions*（共編）, Ithaca: East Asia Program, Cornell University Press, 2010.

林忠鵬（りんちゅうほう Lin Zhongpeng）
中国東北師範大学教授、博士（人文学）
『和名類聚抄の文献学的研究』（勉誠出版、2002）

（本書のイラスト：小松郁文）

文学交流入門

2023年9月1日　初版第1刷発行

編　　者：青山学院大学文学部日本文学科
発 行 者：前田智彦
発 行 所：武蔵野書院
〒101-0054
東京都千代田区神田錦町3-11　電話03-3291-4859　FAX 03-3291-4839

ISBN 978-4-8386-0659-7　Printed in Japan